KU-167-330

THEE

ALLE INFORMATIE VOOR DE LIEFHEBBER

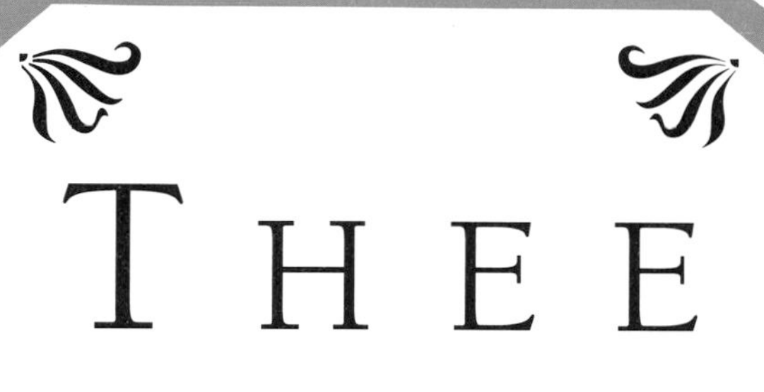

THEE

ALLE INFORMATIE VOOR DE LIEFHEBBER

JANE PETTIGREW

Librero

Oorspronkelijke titel: The Tea Companion. A Connoisseur's Guide

© 1998 Librero Nederland b.v.
Postbus 79, 5320 AB Hedel
© 1997 Quintet Publishing Limited
Tekst: Jane Pettigrew
Fotografie: Paul Forrester
Productie Nederlandstalige editie: TextCase, Groningen
Redactie: Ingrid Hadders
Vertaling: Willemien Vrielink
Zetwerk: Michèle Thurnim

Distributie Vlaanderen:
Boeken Diogenes bvba, Paulus Beyestraat 135, Deurne

ISBN 90 5764 001 5

DANKWOORD VAN DE AUTEUR

Overal ter wereld zijn allerlei mensen in de internationale thee-industrie bijzonder gul geweest met hun advies en hulp bij de voorbereiding van dit boek. Graag zou ik mijn oprechte dank willen betuigen aan iedereen die mij theemonsters, theeserviezen, informatie en foto's heeft toegestuurd. Vijf mensen wil ik in het bijzonder bedanken, te weten Kitticha Sangmanée van Mariage Frères, Frankrijk; Devan Shah van India Tea Importers, VS, Mike Bunston en Dominic Beddard van Wilson Smithett UK; en Iltyd Lewis van de UK Tea Council. Hun onveranderlijke generositeit en advies worden ten zeerste op prijs gesteld. Mijn dank gaat tevens uit naar Clare Hubbard van Quintet Publishing Ltd.

INHOUD

DEEL EEN

ALLES OVER THEE

DEEL TWEE

THEECATALOGUS

Alles
over
Thee

DE GESCHIEDENIS VAN THEE

CHINESE OORSPRONG

Er wordt op de wereld meer thee dan enige andere drank gedronken en achter dit alledaagse drankje, voorbij de blikken op de planken van de theewinkel, gaat een fascinerend verhaal verscholen, dat nauw verweven is met de sociale en culturele geschiedenis van vele landen.

Volgens de Chinese volksoverlevering begint dit verhaal met de ontdekking van de heilzame eigenschappen van thee door keizer Shen Nung – een geleerde en kruidkundige, die met het oog op hygiëne enkel gekookt water dronk. Op een dag in het jaar 2737 v.Chr., toen Shen Nung onder een wilde theestruik zat, woei er een lichte bries door de takken, waardoor enkele bladeren in het water terecht kwamen dat hij aan het koken was. Hij vond het resulterende brouwsel heerlijk verfrissend en versterkend en zo werd de thee 'ontdekt.'

Het is onmogelijk te zeggen of Shen Nung echt bestaan heeft of dat hij slechts de mythische belichaming is van de ontwikkelingen in de landbouw, kruidenkennis en cultuur van het oude China. Tot de derde eeuw voor Christus was China beslist nog geen verenigd rijk en het is dus nogal onwaarschijnlijk dat er al in 2737 v.Chr. een keizer bestond. Maar waar de oorsprong van deze drank ook mag liggen, de geleerden zijn het erover eens dat thee in China al lang geleden populair was.

Shen Nung, rustend onder een theestruik.

Er werd echter pas schriftelijk naar het blaadje verwezen in de derde eeuw v.Chr., toen een beroemde Chinese arts het voorschreef om concentratie en waakzaamheid te vergroten en een legergeneraal in een brief aan zijn neef vroeg hem wat 'echte thee' te sturen omdat hij zich oud en gedeprimeerd voelde. Maar zelfs de verschijning van het woord thee –*tu*– in oude geschriften veroorzaakt nog verwarring, omdat hetzelfde Chinese karakter ook voor zaaidistels gebruikt wordt; er was alleen een verschil in uitspraak dat ontstond nadat een keizer uit de Han-dynastie, tussen 206 v.Chr. en 220 n.Chr., bepaalde dat het karakter moest worden uitgesproken als *cha* wanneer het naar thee verwees. Vanaf de achtste eeuw n.Chr. is de geschiedenis van thee wat gemakkelijker te achterhalen, omdat er toen een verticale lijn uit het karakter verdween en thee eindelijk zijn eigen karakter kreeg in het Chinese schrift.

Het Chinese karakter voor thee.

Tot de derde eeuw voor Christus werd thee als medicijn of tonicum bereid uit de verse groene bladeren van wilde theebomen. Om aan de toenemende vraag te kunnen voldoen en een regelmatige oogst te garanderen, begonnen de boeren op hun kleine akkers theestruiken te kweken en werd er geleidelijk een droog- en bewerkingssysteem ontwikkeld.

Tijdens de vierde en vijfde eeuw nam de populariteit van de thee in China snel toe en werden er nieuwe heuvelplantages gevestigd in de vallei van de Chang Jiang. Thee werd keizers ten geschenke gegeven, begon op te duiken in herbergen, wijnwinkels en eethuizen en werd in 476 n.Chr. in de vorm van geperste blokken gestoomde groene bladeren, gebruikt in de ruilhandel met de Turken. Theehandelaren werden rijk en pottenbakkers en edelsmeden begonnen kostbaar theegerei te maken dat een waar statussymbool werd.

De kleurrijke jaren van de Tang-dynastie (618-906) worden vaak de 'gouden eeuw' van de thee genoemd. Thee werd niet langer alleen als medicijn gebruikt, maar werd nu ook puur voor het genot gedronken. De bereiding en het serveren van de drank groeiden uit tot een uitvoerige theeceremonie, terwijl de teelt en verwerking van het blad aan strenge regels werden onderworpen: er werd bepaald wie er moest oogsten, wanneer en hoe zij de oogst binnen moesten halen en hoe de zij de versgeplukte bladeren moesten behandelen. De jonge pluksters mochten beslist geen knoflook, uien en sterke kruiden eten, om te voorkomen dat eventuele geuren aan hun vingertoppen de delicate bladeren zouden bederven.

Gedurende deze periode werd thee voor een groep kooplui zo belangrijk dat zij de

Handrollen van bladeren in het China van de zeventiende eeuw.

schrijver Lu Yu (733-804) opdracht gaven er een boek over te schrijven. In zijn klassieker *Cha Chang* beschrijft hij alle denkbare aspecten van thee, de oorsprong en kenmerken van de plant, de verschillende soorten, de verwerking van de bladeren en het benodigde gereedschap, het zetten van thee, theegerei, de kwaliteit van het water op verschillende plaatsen, de medicinale werking en de tradities van het theedrinken.

Tijdens de Tang-dynastie werden de jonge bladeren na het plukken gestoomd, gekneusd en tot een pasta geroerd met pruimensap, dat diende als een natuurlijk bindmiddel. Deze pasta werd vervolgens in vormen gedaan, tot blokken geperst en drooggebakken. Om een kopje thee te zetten werd dit blok in het vuur geroosterd tot het zacht genoeg was om tot een poeder te verkruimelen, dat dan in water werd gekookt. In sommige delen van China werd zout toegevoegd, waardoor de thee een bittere nasmaak kreeg. De meest gebruikte toegevoegde smaken waren zoete ui, gember, kruidnagels, sinaasappelschil en pepermunt; deze smaakmakers werden voor of na het koken aan het water toegevoegd.

Later –tijdens de Sung-dynastie (960-1279)– werd het geperste theeblok vermalen tot een zeer fijn poeder, dat met kokend water tot een schuimige vloeistof werd geklopt. Als het eerste kopje opgedronken was, werd er opnieuw kokend water op het poeder geschonken. Dit werd opnieuw opgeklopt en opgedronken. Soms werd dit wel zeven maal herhaald met dezelfde thee. De kruidige toevoegingen van de Tang-dynastie werden verruild voor subtielere essences van jasmijn, lotusbloemen en chrysanten.

Tot de Ming-dynastie (1368-1644) werd er in China alleen maar groene thee geproduceerd. De geperste theeblokken bleven lang houdbaar en konden zonder problemen vervoerd worden om in verre oorden als betaalmiddel te dienen. Ming-thee werd echter niet tot blokken geperst; het was een losse, gestoomde en gedroogde bladthee, die niet goed houdbaar was en vrij snel zijn geur en smaak verloor.

Toen de handel met het buitenland toenam en de thee zijn kwaliteit moest behouden tijdens reizen die soms helemaal naar Europa voerden, ontwikkelden de op winst beluste Chinese kwekers twee nieuwe soorten thee – zwarte thee en gearomatiseerde bloementhee. Een tijd lang meende men dat groene thee en zwarte thee van verschillende planten kwamen, maar beide soorten worden gemaakt van de groene blaadjes van de theestruik. De producenten uit de Ming-dynastie ontdekten dat ze de blaadjes konden conserveren door ze eerst in lucht te laten fermenteren tot ze koperrood waren en vervolgens het natuurlijke rottingsproces tegen te gaan door ze te branden. Hoewel Europa aanvankelijk alleen groene bladthee uit China importeerde, veranderde de mode geleidelijk toen de producenten hun productiemethoden aanpasten aan de markt.

VAN CHINA NAAR JAPAN

De Japanse geschiedenisboeken doen melding van een keizer, Shomu, die in 729 in zijn paleis thee serveerde aan honderd boeddhistische monniken. Omdat er in die tijd in Japan nog geen thee werd verbouwd, moeten de bewerkte bladeren wel uit China zijn gekomen. Men vermoedt dat het eerste kweekzaad naar Japan is gebracht door Dengyo Daishi, een monnik die twee jaar, van 803 tot 805, in China had gestudeerd. Hij keerde terug naar huis, plantte het zaad in de grond rond zijn klooster en toen hij vijf jaar later de thee van zijn eerste planten aan keizer Saga liet proeven, schijnt die zo van het nieuwe drankje te hebben genoten dat hij verordende dat er in vijf provincies rond de hoofdstad met de verbouw van thee moest worden begonnen.

Tussen het eind van de negende en de elfde eeuw verslechterde de verhouding tussen China en Japan. Thee –een Chinees product– raakte uit de gunst en werd niet langer aan het hof gedronken. Japanse boeddhistische monniken bleven echter thee drinken, omdat het hen wakker hield en de concentratie ten goede kwam tijdens lange meditaties. Aan het begin van de twaalfde eeuw verbeterde de situatie tussen de beide landen weer en bracht de Japanse monnik Eisai als eerste een bezoek aan China. Hij kwam terug met meer theezaden en met een Chinees nieuwigheidje: groene poederthee. Hij bracht ook kennis mee van de leer van de zenboeddhistensekte Rinzai. Het drinken van thee en de boeddhistische ideeën ontwikkelden zich tegelijkertijd en terwijl de theerituelen in het oude China langzaam verloren gingen, werden ze door de Japanners ontwikkeld tot een complexe, unieke ceremonie. De nog altijd bestaande Japanse theeceremonie *Cha-no-yu* omvat een nauwgezet ritueel dat tot doel heeft een moment van rust te scheppen, waarin gastheer en gasten streven naar spirituele verkwikking en harmonie met het heelal. In 1906 schreef Okakura Kakuzo in zijn *Theeboek*: “Het theeïsme is een cultus, gebaseerd op de verering van de schoonheid temidden van de vulgaire realiteit van het dagelijks bestaan. Het doordringt je van zuiverheid en harmonie, het mysterie van de naastenliefde, de romantiek van de samenleving.” De theeceremonie bevat allerlei elementen van de Japanse filosofie en artistieke schoonheid en is een

Takeno Jhooh, een beroemde Japanse theemeester.

Advertentie voor Fujiyamathee.

mengeling van vier principes: harmonie (met anderen en met de natuur), respect (voor anderen), zuiverheid (van hart en geest) en rust. "Thee is meer dan een idealisering van de manier van drinken; het is een godsdienst die de kunst van het leven vereert", schreef Kakuzo. De ceremonie kan wel vier uur duren en kan thuis, in een speciaal voor dit doel gereserveerde kamer of in een theehuis worden uitgevoerd.

DE THEE BEREIKT EUROPA

Het is niet duidelijk of het de Nederlanders of de Portugezen waren die in het begin van de zeventiende eeuw als eersten thee naar Europa brachten, want beide landen dreven in die tijd handel met Azië – de Portugezen vanuit Macau op het Chinese vasteland en de Nederlanders vanaf Java. Aanvankelijk werd er alleen gehandeld in zijde, brokaat en specerijen, maar al gauw bevatten de ladingen ook thee. De Portugezen verscheepten Chinese theeën naar Lissabon en van daaruit vervoerde de Vereenigde Oostindische Compagnie goederen naar Nederland, Frankrijk en de Baltische havens. Rond 1610 verscheepten de Nederlanders vanaf Java voornamelijk Japanse thee, maar in 1637 schreven de bestuursleden van het V.O.C. aan hun gouverneur-generaal: "Nu de thee bij een deel van het volk ingeburgerd begint te raken, verwachten we naast Japanse thee ook enkele potten Chinese thee."

De populariteit van de thee groeide onder de gehele Nederlandse bevolking en Nederlandse handelaren exporteerden voorraden naar Italië, Frankrijk, Duitsland en Portugal. Hoewel de Fransen en de Duitsers wel belangstelling voor thee toonden, is het er nooit een dagelijkse drank geworden, behalve in Ostfriesland (waar thee ook nu nog buitengewoon populair is) en onder de hogere klassen in Frankrijk. Madame de Sévigné beschreef in een van haar brieven hoe haar vriendin, de markiezin de la Sablière, haar thee met melk dronk en dat Racine elke dag thee dronk bij zijn ontbijt. Maar tegen het eind van de zeventiende eeuw was koffie de populairste drank in zowel Frankrijk als Duitsland geworden en groeide de markt voor thee alleen nog in Rusland en Engeland.

De eerste thee bereikte Rusland in 1618 en was een geschenk van de Chinezen aan Tsaar Alexis. Een handelsovereenkomst, getekend in 1689, markeerde het begin van regelmatige handel. Karavanen van twee tot driehonderd kamelen trokken naar de grens bij Usk Kayakhta. De kamelen waren beladen met bont dat geruild werd voor thee. Elke kameel droeg vier kisten (ca. 300 kg) thee, waardoor de terugreis naar Moskou een lange was en de reis van de Chinese kweker naar de Russische klant zestien tot achttien maanden duurde. Tot het begin van de achttiende eeuw was de favoriete zwarte thee van de Russen (een melange die tegenwoordig nog door veel theehandelaren verkocht wordt als Russische Karavaan) duur en dus een drankje voor de aristocratie. Maar de voorraden groeiden snel en in 1796 dronken de Russen al meer dan 6000 kameelladingen thee per jaar. De karavaanhandel bleef bestaan tot de voltooiing van de transsiberische spoorlijn in 1903, waardoor Chinese thee, zijde en porselein in een week naar Rusland getransporteerd konden worden.

ENGELAND ONTDEKT DE THEE

Ongetwijfeld zijn er in Engeland mensen geweest –leden van het koninklijk huis, aristocraten en kooplui– die al ver voor de vroegst beschreven verschijning van thee in Londen in 1658 van de drank gehoord hadden of hem zelfs al geproefd hadden. Thomas Garraway, een koopman met een winkel in Exchange

Thomas Garraways winkel in Exchange Alley.

Alley in het oude centrum van Londen, adverteerde als eerste voor dit nieuwe product. Hij adverteerde in het Londense weekblad *Mercurius Politicus* van 23-30 september 1658: "Die Voortreffelijke, en door alle Doctoren goedgekeurde drank uit China die de Chinezen Tcha noemen en in andere Landen Tay ofwel Tee wordt genoemd, is te koop bij The Sultaness Head, een Koffiehuis in Sweetings Rents bij de Royal Exchange in Londen."

Twee jaar later, ongetwijfeld met het doel de verkoop te vergroten, schreef Garraway een uitgebreid pamflet getiteld "Een Exacte Beschrijving van de Verbouw, Kwaliteit en Deugden van het Theeblad," waarin hij beweerde dat thee bijna elke aandoening kon genezen: "het maakt het Lichaam actief en krachtig... helpt bij Hoofdpijn, duizelingen of zwaarheid in 't hoofd... neemt ademhalingsproblemen en Obstructies in de luchtwegen weg... verheldert het Gezichtsvermogen... het doet zware Dromen verdwijnen, kalmeert de Hersenen en versterkt het Geheugen, het overwint overtollige slaap en voorkomt Slaperigheid in het algemeen... het is goed tegen Verkoudheden, Waterzucht en Scheurbuik en gaat infectie tegen."

In 1662 nam het lot van de thee in Engeland een gunstige wending, toen koning Charles II trouwde met de Portugese prinses Catharina van Bragança. De nieuwe koningin van Engeland stond al lang voor ze voor de bruiloft arriveerde bekend als theedrinkster en als deel van haar bruidsschat bracht ze een kist Chinese thee mee. Ze begon deze te serveren aan haar aristocratische vrienden aan het hof, waarna het nieuws over de nieuwe drank de ronde deed en steeds meer mensen hem zelf wilden proeven. Maar met prijzen die varieerden van 16 tot 60 shillings (ca. ƒ3,60 tot

vaker tot de zwarte theeën die de kwekers uit de Ming-dynastie waren gaan produceren voor de buitenlandse markt.

In de loop van de achttiende eeuw werd thee de populairste drank van Engeland en werden bier bij het ontbijt en gin op andere tijden van de dag door thee vervangen. De theeconsumptie steeg van 33.369 kilogram in 1701 naar 2.457.736 kilogram in 1781 en een enorme belastingdaling in 1784 (van 119 procent naar 12,5 procent) leidde tot een grote toename, zodat in 1791 een totaal werd bereikt van 7.548.420 kilogram. Men dronk de thee thuis en in de nieuwe, populaire theetuinen van Londen. De koffiehuizen werden in het begin van de achttiende eeuw gesloten (rond die tijd waren ze een trefplaats voor leeglopers en louche types geworden) en vervangen door parken aan de rand van de stad, waar mensen van alle rangen en standen, inclusief leden van het koninklijk huis, kwamen om een frisse neus te halen, thee te drinken en vermaakt te worden. De beroemdste, bij Marylbone, Ranelagh en Vauxhall, boden naast thee en andere hapjes en drankjes ook concerten, vuurwerk, spectaculaire verlichting, gokken, bowls, boottochtjes, balzalen met orkesten en wandelpaden geflankeerd door bloemen. De snelle groei van Londen in het begin van de negentiende eeuw en een groeiende voorkeur voor verfijnder en opwindender vormen van vermaak leidden echter uiteindelijk tot de sluiting van alle theetuinen.

DE MIDDAGTHEE

Tot het begin van de negentiende eeuw werd thee gedronken op elke tijdstip van de dag en met name als digestief na de avondmaaltijd. Er was geen formele 'middagthee' zoals die tegenwoordig gebruikelijk is. De eer van de uitvinding van deze gevestigde Engelse gewoonte komt toe aan Anna, de zevende hertogin van Bedford, die vanwege de lange tijd tussen de lichte lunch en het late avondmaal 's middags vaak last zou hebben gehad van een flauw gevoel. Om haar honger te stillen vroeg ze haar kamermeisje haar een pot thee en een kleine snack te brengen en dit beviel haar zo goed dat ze al gauw haar vriendinnen uitnodigde om met haar de middagthee te gebruiken. Al snel hield de hele Londense elite dergelijke bijeenkomsten om gezamenlijk thee te drinken, verfijnde sandwiches en gebakjes te eten en de laatste roddels en andere informatie uit te wisselen.

Met het aanslaan van deze nieuwe mode begonnen zilversmeden, pottenbakkers en linnengoedfabrikanten van alles te produceren voor een chique middagthee. Kookboeken beschreven het zetten en serveren van thee, het bereiden van de middagthee en de bijbehorende versnaperingen en het organiseren van 'tea parties' voor diverse gelegenheden. De chique, stijlvolle *afternoon tea* (die ook wel 'low tea' werd genoemd) mag beslist niet verward worden met de *high tea* (die aanvankelijk 'meat tea' heette). De high tea was een flinke maaltijd die bestond uit stevig, machtig, hartig en zoet voedsel dat aan het eind van de middag gegeten werd door de arbeiders bij thuiskomst van een lange, zware dag in de fabriek, de mijnen of op kantoor.

OPIUMOORLOGEN EN ASSAMTHEE

Naarmate de theeconsumptie in Engeland toenam, kostte de jaarlijkse import uit China het land steeds meer geld, terwijl China geen behoefte had aan katoen, Engelands enige exportproduct. In 1800 bood opium uitkomst. De Chinezen wilden opium (hoewel de import ervan door een Chinese wet uit 1727 verboden was) en de Britten, later gevolgd door de Portugezen, begonnen hun plaatselijke voorraden uit te breiden. De Britse East India Company kweekte de drug in Bengalen (dat deel uitmaakte van het Britse rijk), verkocht het via groothandelaren in Calcutta voor zilver aan China en betaalde de Chinezen dan zilver voor hun thee.

Ondanks de steeds zwaardere straffen van de Chinese regering voor het gebruik en de import van opium ging de illegale handel voort, tot in 1839 de Chinese beambte Lin Zexu 20.000 kisten opium op een strand bij

Veilinghuis van de Britse East India Company.

Kanton dumpte, waar het zeewater het in een onbruikbare drab veranderde en de zee inspoelde. Een jaar later verklaarde Engeland China de oorlog en China nam represailles door alle thee-exporten te verbieden.

Met het oog op de aanhoudende moeilijkheden bij de handel met China overwoog Engeland al geruime tijd op zoek te gaan naar andere locaties voor de productie van thee. Het noorden van India bleek zeer geschikt te zijn vanwege het klimaat en de hoge ligging en toen er in 1823 in Assam inheemse theebomen werden ontdekt, werden er kleine plantages gevestigd door Charles Bruce, een werknemer van de East India Company. Uiteindelijk wist hij zijn werkgevers (die voorheen nog geloofden dat alleen China goed genoeg was) over te halen om de Assamthee op commerciële schaal te gaan verbouwen. De eerste scheepslading Assam bereikte Londen in 1838 en in 1840 werd de Assam Tea Company opgezet, die zich al gauw uitbreidde naar Darjeeling, Cachar, Sylhet en andere gebieden in Noord-India.

Na 1870 werd ook Ceylon een belangrijk Engels theeproducerend gebied, nadat in de jaren 1860 de koffieoogst was mislukt en de planters besloten dat thee het geschiktste alternatief was. Een van de eerste planters was de Schot James Taylor, wiens inspanningen er toe bijdroegen dat thee Ceylons voornaamste exportproduct werd. Het succes van de Ceylonthee werd verzekerd door een bezoek van

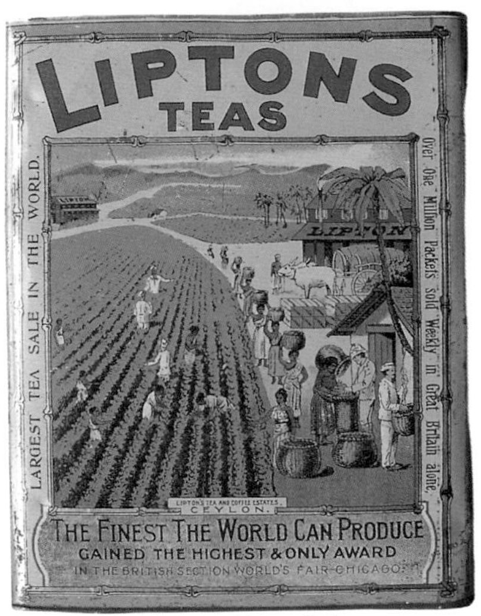

Advertentie voor Liptons Ceylon.

een nieuwkomer in de theehandel. Thomas Lipton was op veertigjarige leeftijd al miljonair geworden door zijn kruideniersbedrijf, dat beroemd was om de ham en kaas en vestigingen in heel Engeland had, waaronder meer dan zeventig in Londen. Lipton had altijd al oog voor handel gehad en kocht tijdens zijn bezoek aan het eiland enkele plantages. Hij besefte dat hij door zelf thee te produceren en deze in zijn eigen winkels aan het Engelse volk te verkopen (waardoor tussenpersonen overbodig werden) de prijs van thee kon verlagen en toch een goede winst kon maken. Zijn slogan 'Rechtstreeks van de theetuin in de theepot' werd beroemd en zijn kleurrijke reclamecampagnes zorgden ervoor dat de naam Lipton overal ter wereld synoniem werd met thee.

Groot-Brittanniës theeconsumptie steeg van 11.865.000 kilogram in 1801 naar 129.423.500 in 1901 en de import van thee uit India en Ceylon ging geleidelijk die uit China vervangen. De import van Chinese theeën bereikte in 1886 een hoogtepunt met 85 miljoen kilogram en daalde toen naar 7,5 miljoen kilogram in 1900. In 1939 was de import van Chinese thee gedaald naar 0,7 miljoen kilogram. In de jaren '70 nam hij echter weer toe en in 1978 consumeerde Groot-Brittannië 7,5 miljoen kilogram Chinese thee. Tegenwoordig exporteert China voornamelijk naar Marokko en de Verenigde Staten; de import naar de VS verdubbelde tussen 1978 en 1983 en neemt nog steeds toe.

DE THEEKLIPPERS

De schepen van de East India Company deden er gemiddeld 12 tot 15 maanden over om met hun zware vrachten thee en theegerei van China naar Londen te varen. In 1845 werd de eerste Amerikaanse klipper te water gelaten en duurden de heen- en terugreis minder dan acht maanden, een enorme bedreiging voor de Britse reders. In 1850 werd de eerste Britse klipper de *Stornaway* in Aberdeen gebouwd. Dit werd gevolgd door de tewaterlating van meer van deze gestroomlijnde zeilschepen waarvan sommige een gemiddelde snelheid van 18 knopen konden bereiken. Elke klipper

De theeklipper 'Great Republic.'

kon meer dan een half miljoen kilo thee vervoeren en de kisten werden vakkundig ingepakt door inheemse stuwadoors in de Chinese havens. De stabiliteit en compactheid van de lading verbeterden de stevigheid en prestaties van de schepen, waardoor de terugweg minder gevaar opleverde.

Soms vertrokken meerdere klippers tegelijkertijd uit China, die dan terug raceten naar Londen, waar men weddenschappen afsloot over wie er zou winnen. Voor de thee die als eerste aankwam werd een hogere prijs betaald en de winnende bemanning werd een prijs toegekend. De beroemdste race vond plaats in 1866, toen er veertig schepen deelnamen, die bijna nek aan nek naar huis voeren. De *Aeriel*, de *Taeping* en de *Serica* liepen allemaal met hetzelfde tij binnen, 99 dagen na hun vertrek.

De laatste theerace was in 1871, toen het werk van de meeste klippers was overgenomen door stoomschepen en het Suezkanaal was geopend, waardoor de reis tussen Europa en Azië enkele weken korter was geworden.

THEEWINKELS EN THEEFEESTEN

Na de sluiting van de Londense theetuinen kon er eigenlijk alleen thuis thee gedronken worden – tot in 1864 de bedrijfleidster van de London Bridge-tak van de Aereated Bread Company op het geniale idee kwam een ruimte achterin haar winkel open te stellen als theesalon. Haar idee vond al snel navolging bij andere bedrijven (die producten verkochten van melk tot tabak, thee en gebak). Plotseling schoten de theesalons in Londen en de Engelse provinciesteden als paddestoelen uit de grond. Deze populaire etablissementen trokken klanten van alle leeftijden en alle rangen en standen. Er werden verschillende warme en koude, zoete en hartige versnaperingen en goedkope potten en kopjes thee geserveerd en vaak was er ook muziek ter vermaak van de cliëntèle.

Buitenshuis theedrinken werd een mode die zijn hoogtepunt bereikte in de Edwardiaanse periode (1901-1914), toen pas geopende, exclusieve hotels in Londen en elders chique middagtheeën serveerden in de hal en foyer, waar strijkkwartetten en trio's een rustige, stijlvolle sfeer creëerden voor hun klanten die vaak alle tijd van de wereld hadden. In 1913 werd er nog een kleurrijk aspect aan de middagthee toegevoegd: met de komst van de zwoele en gewaagde tango uit Argentinië ontstond de 'thé dansant'. Het idee om dansfeesten tijdens de middagthee te organiseren kwam waarschijnlijk uit de Franse Noord-Afrikaanse kolonies en aangezien de tango, die de Londense danswereld in 1910 op stormachtige wijze had veroverd, ieders favoriet was, werden de twee nieuwe trends gecombineerd. In heel Londen werden er tangoclubs, -scholen en -feesten georganiseerd in theaters, restau-

The Tea House op College Farm in Londen.

rants en hotels. De Londense kranten deden verslag van de 'groeiende rage van de tangothee' en schreven 'tangothee voor 1500' en 'iedereen danst de tango.'

Veranderingen in sociale patronen en leefwijzen, veroorzaakt door de twee wereldoorlogen, de nieuwe trend in toonaangevende kringen om cocktails in plaats van thee te drinken en opkomst van fastfoodzaken en koffiebars in de jaren vijftig leidden tot een geleidelijke afname van de gewoonte van het buitenshuis theedrinken. Uiteraard bleven de Engelsen thuis en op het werk wel thee drinken, maar pas in het begin van de jaren tachtig groeide de belangstelling voor thee en theetijd, wat leidde tot een opleving van de Engelse theewinkel, theesalon en theefoyer.

THEE IN AMERIKA

Met de grote groepen Europese kolonisten kwam ook de thee naar Noord-Amerika. New York (dat aanvankelijk nog Nieuw-Amsterdam heette) was een toevluchtsoord voor de theedrinker met dezelfde tradities, etiquette en hetzelfde favoriete theegerei als in Engeland, Nederland en Rusland.

Goede kwaliteit drinkwater was niet direct beschikbaar, dus werden er in heel Manhattan

Theekisten worden in de haven van Boston gegooid.

speciale waterpompen geïnstalleerd. Koffiehuizen en theetuinen werden populair en er waren in New York drie Vauxhall Gardens, een Ranelagh en andere tuinen die dezelfde namen kregen als de populaire tuinen in Londen.

In de stad werd thee op dezelfde elegante wijze gedronken als in Europa. Vooral in Philadelphia en Boston waren thee en duur zilver en porselein een teken van rijkdom en status en in minder welvarende families getuigde het drinken van thee van een goede afkomst en opvoeding.

In het begin van de jaren 1700 dronken de Quakers hun 'kopjes thee die opmonteren maar niet benevelen' met zout en boter, terwijl in New England gearomatiseerde groene theeën uit China populair waren. Op het platteland werd de thee op een veel eenvoudigere, rustieke manier gezet en de hele dag op het fornuis warmgehouden, klaar om te schenken zodra er bezoek kwam of wanneer het gezin thuiskwam van het werk op het land.

De Boston Tea Party maakte een eind aan Amerika's sympathie voor de Engelsen en hun thee. De problemen begonnen toen de Engelsen in 1767 een wet aannamen om belasting te heffen in de Amerikaanse koloniën. Voor thee moest men 3 pence (6 ct) per pond betalen, wat bestemd was als ondersteuning voor het leger en de overheidsambtenaren in de koloniën, en omdat de enige thee die in Amerika legaal geïmporteerd en gekocht kon worden die van de Engelse East India Company was, leek het onmogelijk de nieuwe heffing te omzeilen. Minder dan twee jaar nadat de wet aangenomen was weigerden de meeste Amerikaanse havens belastbare goederen aan land te laten en toen de Engelsen vanuit Londen zeven scheepsladingen thee stuurden, liepen de gemoederen hoog op. In New York en Philadelphia dwongen demonstranten de schepen om te keren en in Charleston legden douanebeambten beslag op de lading. Na weken van onrust bestormde in Boston een groep als indianen verklede mannen de *Dartmouth* onder het roepen van kreten als: "Vanavond wordt de haven van Boston een theepot" en "De Mohawks komen eraan". In de drie uur die volgden, gooiden ze 340 kisten thee overboord. De sluiting van de haven van Boston door de Engelse regering en de aankomst van Engelse troepen in Amerika luidden het begin in van de Onafhankelijkheidsoorlog en maakte van Amerika een land van koffiedrinkers.

WHAT'S IN A NAME?

Voordat de naam 'thee' in de Nederlandse taal werd opgenomen, werd het blad afwisselend *tcha*, *cha* en *tee* genoemd. De Nederlandse naam komt niet van het standaard Mandarijnse woord *cha*, maar van de naam uit het Chinese dialect van Amoy: *te*. Dit was een gevolg van het vroege contact tussen de Nederlandse koopvaarders en Chinese jonken in de haven van Amoy in de Chinese provincie Fujian. In het Nederlands werd de naam *thee* en omdat het de Nederlanders waren die als eerste thee naar Europa brachten, werd het nieuwe product tevens bekend als *thee* in het Duits, *te* in het Italiaans, Spaans, Deens, Noors, Zweeds, Hongaars en Maleis, *tea* in het Engels, *thé* in het Frans, *tee* in het Fins, *teja* in het Lets, *ta* in het Koreaans, *tey* in het Tamil, *thay* in het Singalees en kreeg de plant de Latijnse naam *Thea*.

Het Mandarijnse *cha* werd in het Kantonees *ch'a* en werd als *cha* opgenomen in het Portugees (tijdens de handel met het Kantoneessprekende Macau), Perzisch, Japans en Hindi; het werd *shai* in het Arabisch, *ja* in het Tibetaans, *chay* in het Turks en *chai* in het Russisch.

DE PRODUCTIE VAN THEE

DE THEEPLANT

THEE (*THEA SINENSIS*) IS EEN GROENBLIJVENDE plant uit de familie van de Camellia. Botanisten onderscheiden gewoonlijk drie nauw verwante soorten –thee uit China, Assam en Cambodja– die allemaal voor de commerciële productie worden gebruikt.

De *Camellia sinensis*, de Chinese struik, kan maximaal 3-5 meter hoog worden en komt op grote schaal voor in China, Tibet en Japan. Hij is bestand tegen zeer lage temperaturen en kan wel honderd jaar zijn 5 cm lange bladeren produceren. De *Camellia assamica* is eerder een boom dan een struik en kan een hoogte van 15-20 meter bereiken, met bladeren die variëren van 15 tot 35 cm. Hij komt voor in landen met een tropisch klimaat en blijft ongeveer 40 jaar produceren. De Cambodjaanse soort *Camellia assamica subspecies lasiocalyx* is een boom die circa 5 meter hoog wordt en hoofdzakelijk gebruikt wordt voor het kweken van kruisingen.

De plant heeft donkergroene, glanzende, leerachtige bladeren en tere, kleine, witte bloesems van circa 2,5 cm in doorsnee met vijf of zeven blaadjes, net als de jasmijnbloesem. Deze bloemen zorgen voor een muskaatnootachtige vrucht die een tot drie zaden bevat.

Theeplanten gedijen het best in een warme en vochtige omgeving. De geschiktste klimaten hebben een temperatuur van 10°C tot 30°C, een regenval van 200-225 cm per jaar en liggen 350-3500 meter boven zeeniveau. De juiste combinatie van hoogte en vochtigheid zorgt voor de benodigde langzame groei en hoe

De tere bloem van de thea sinensis.

hoger de thee wordt verbouwd, hoe meer smaak hij heeft en hoe beter de kwaliteit is. Veel van de beroemdste theeën –Ceylonthee, Chinese Weyi, India's beste Darjeelings– worden boven 1350 meter verbouwd.

Net als bij wijn worden de uiteindelijke smaak en kwaliteit van het product beïnvloed door veel bijkomende factoren: klimaat, grond, hoogte, weer, de wijze van plukken, verpakken, transporteren en opslaan.

DE SAMENSTELLING

De bladeren van de *Camellia sinensis* bevatten chemische stoffen (waaronder aminozuren, koolhydraten, mineraalionen, cafeïne en polyfenolen) die de thee zijn kenmerkende kleur en smaak geven. Ze bevatten ook 75-80 procent water, wat tijdens het 'verflensen,' het eerste stadium van het bewerkingsproces wordt gereduceerd tot 60-70 procent. Tijdens de fermentatie van oolong en zwarte thee oxideren de polyfenolische theaflavinen (of catechinen) met de zuurstof in de lucht, waardoor de unieke smaak en kleur van het theeaftreksel ontstaat. Het vuren (of drogen) deactiveert het enzym dat de oxidatie veroorzaakt en vermindert tevens het watergehalte tot circa 3 procent.

Het aroma van zwarte thee is bijzonder complex. Tot nog toe zijn er meer dan 550 chemische stoffen vastgesteld, waaronder koolwaterstof, alcohol en zuren. De meeste worden gevormd tijdens het bewerkingsproces en elke stof voegt zijn specifieke eigenschappen toe aan het aroma van de thee. De smaak komt echter hoofdzakelijk van de combinatie van verschillende polyfenolische verbindingen (vaak ten onrechte looizuren genoemd) met cafeïne.

Cafeïne is een van de hoofdbestanddelen van thee. Het heeft een licht stimulerende werking en bevordert de spijsvertering. Alle theeën –groene, oolong en zwarte– bevatten cafeïne, maar in verschillende hoeveelheden. In groene thee zit minder dan in oolong en in oolong minder dan in zwarte thee. Naar schatting bevat een kopje groene thee gemiddeld 8,36 mg, oolong 12,55 mg en zwarte thee 25-110 mg cafeïne. Wie zich zorgen maakt over zijn cafeïneverbruik kan beter de lichtere aftreksels van oolong en groene thee drinken. Het is ook goed om te weten dat terwijl de cafeïne in koffie snel door het lichaam wordt opgenomen en onmiddellijk de bloedsomloop en de cardiovasculaire activiteit stimuleert, de polyfenolen in thee het absorptietempo waarschijnlijk vertragen. Het effect van de cafeïne wordt langzamer gevoeld, maar houdt langer aan, waardoor thee verfrissender en versterkender is dan koffie.

HOE DE THEE GROEIT

Vroeger werden theeplanten meestal uit zaad gekweekt, maar tegenwoordig wordt de nieuwe plant steeds vaker geproduceerd door stekjes en afgelegde takken wortel te laten schieten. Door planten te stekken die goed produceren en bestand zijn tegen droogte, ongedierte en ziekten, proberen kwekers de kwaliteit van de oogst op peil te houden en de commerciële mogelijkheden van hun plantages te vergroten.

Nieuwe planten worden in een kwekerij gezet en na ongeveer zes maanden, wanneer ze een hoogte van 15-20 cm hebben bereikt, overgeplant naar de plantage. De jonge struiken krijgen elk circa 1,5 m^2 toegewezen en worden de eerste twee jaar niet geplukt of gesnoeid; tijdens deze periode bereiken ze een hoogte van 1,5 à 2 meter. Daarna worden ze ingesnoeid tot een hoogte van circa 30 cm, mogen dan een poosje doorgroeien en worden vervolgens wekelijks gesnoeid om ze ongeveer een meter hoog te houden. De commerciële pluk begint na drie tot vijf jaar, afhankelijk van de hoogte en omstandigheden.

In sommige delen van de wereld groeien de planten het hele jaar door en elders zijn er een rustperiode in de winter en een groeiperiode. De bladeren worden geplukt wanneer de nieuwe loten beginnen te groeien. In streken met een warmer klimaat krijgen de planten meerdere groeischeuten, terwijl er in koelere klimaten een korter, beperkt groeiseizoen is. De bladeren van de eerste pluk zijn zeer gezocht, maar het zijn die van de tweede pluk die naar men zegt de beste thee te geven. Voor thee van de beste kwaliteit verwijderen de plukkers van elke nieuwe loot twee bladeren en een knop. Deze worden met een neerwaartse beweging van de duim losgetrokken en in de zakken of

manden gedaan, die elke plukker bij zich draagt.

Vanwege het tekort aan arbeidskrachten in sommige gebieden is de traditionele, zeer vakkundige handmatige pluk vervangen door de machinale pluk, uitgevoerd met speciaal aangepaste tractoren en oogstmachines of handbediende scharen, maar de kwaliteit van deze thee is minder. Thee die op deze manier geplukt is, is wel geschikt voor melanges en er wordt nog steeds onderzoek gedaan naar het verbeteren van de machinale methoden.

Blz. 28 boven: jonge planten in een theekwekerij.

Blz. 28 onder: een jonge theestruik wordt gesnoeid.

Boven: de knoppen en bladeren worden geplukt en in manden naar een verzamelpunt gebracht, waar ze gewogen worden.

DE BEWERKING VAN THEE

Vroeger dacht men dat groene en zwarte thee van verschillende planten kwamen, maar in werkelijkheid zijn het de bewerkingsmethoden die de zes voornaamste verschillende soorten –witte, groene, oolong, zwarte, gearomatiseerde en geperste thee– en de vele verschillende variëteiten binnen elke soort opleveren, waardoor er wereldwijd in totaal meer dan 3000 verschillende theeën bestaan.

WITTE THEE

Deze thee wordt op zeer beperkte schaal geproduceerd in China (van oudsher in de provincie Fujian) en Sri Lanka. De nieuwe knoppen worden geplukt voor ze opengaan, verflenst om het natuurlijke vocht te laten verdampen en dan gedroogd. De gekrulde knopjes hebben een zilverachtige kleur (en worden soms witpunt genoemd) en geven een zeer licht, strokleurig aftreksel.

GROENE THEE

Groene thee wordt vaak 'ongefermenteerde' thee genoemd. De versgeplukte bladeren worden verflenst en dan verhit om de fermentatie (of oxidatie) tegen te gaan die het blad doet rotten. In China wordt thee nog op veel plaatsen met de hand bewerkt, met name bij de productie van de betere Chinese thee, maar sommige fabrieken zijn inmiddels op machinale bewerking overgegaan. Bij de traditionele methode worden de verse groene bladeren in een dunne laag uitgespreid op bamboebladeren en een of twee uur blootgesteld aan zonlicht of natuurlijke warme lucht. Daarna worden de bladeren met kleine hoeveelheden tegelijk in hete pannen gelegd en met de hand snel omgeschept, terwijl ze zacht en vochtig worden en het natuurlijke vocht verdampt. (Er bestaan enkele Chinese theeën die niet gevuurd, maar gestoomd worden.) Na vier of vijf minuten worden de zachtgeworden bladeren op bamboe tafels tot bolletjes gerold (in de

Pai Mu Tan Imperial uit China.

Matcha Uji, een Japanse groene poederthee.

grote fabrieken werd dit van oorsprong met de voeten gedaan). Deze bolletjes gaan bijna direct weer in de hete pannen en worden snel omgeschud, waarna men ze opnieuw rolt of laat drogen. Na een of twee uur zijn de bladeren dofgroen en zijn ze klaar voor gebruik. Ten slotte worden ze gezeefd om de ongelijke stukjes blad op grootte te sorteren.

In Japan worden de geplukte bladeren snel gestoomd op een lopende band, waardoor ze soepel en zacht worden en klaar zijn om gerold te worden. Ze worden gekoeld en herhaaldelijk gerold, gedraaid en gedroogd tot alle vocht verdampt is. Tijdens de laatste keer rollen krijgen de bladeren hun uiteindelijke vorm voor ze voor de laatste keer gedroogd worden. Daarna wordt de thee afgekoeld, waarna hij luchtdicht wordt verpakt voor verscheping naar de verkooppunten. Sommige Japanse theeën worden nog steeds met de hand bewerkt, hoewel de meeste fabrieken nu gemechaniseerd zijn.

OOLONG

Oolong wordt meestal 'halfgefermenteerde' thee genoemd en komt voornamelijk uit China en Taiwan (dat in de theewereld nog steeds Formosa wordt genoemd).

Voor de productie van Chinese oolongs mogen de bladeren niet te snel worden geplukt en moeten ze direct na het plukken worden verwerkt. Eerst laat men ze in het zonlicht verflensen. Daarna worden ze in bamboe manden omgeschud om de randen van de bladeren licht te kneuzen. Vervolgens worden ze afwisselend omgeschud en gedroogd tot de bladeren gelig wordt. De randen krijgen een rode kleur doordat de chemische stoffen in het gekneusde blad een reactie met zuurstof aangaan. Na deze fermentatie- of oxidatieperiode (12-20 procent) van 1,5 à 2 uur worden de bladeren gevuurd. Oolongs zijn altijd bladtheeën, die nooit door rollen worden gebroken. Formosa-oolongs hebben een langere fermentatieperiode (60-70 procent) en zijn daarom zwarter dan Chinese oolongs; ze geven ook een rijker, donkerder aftreksel dan het lichte, oranjebruine aftreksel van Chinese oolong.

Een Chinese oolongthee, Fenghuang Dancong.

Pouchong is nog een zeer licht gefermenteerde thee die korter gefermenteerd wordt dan oolong en bijna een eigen categorie vormt, ergens tussen groene thee en oolong in. Pouchongs komen van oorsprong uit Fujian, maar de meeste worden nu in Taiwan gemaakt. Ze worden vaak gebruikt als basis voor jasmijnthee en andere gearomatiseerde theeën.

ZWARTE THEE

De methodes en variëteiten verschillen per gebied, maar het proces omvat altijd vier basisonderdelen: verflensen, rollen, fermenteren en vuren (of drogen). Bij de traditionele 'orthodoxe' methode (die in China, Taiwan, delen van India, Sri Lanka, Indonesië en elders nog steeds wordt toegepast) en die grotere bladstukjes oplevert, laat men de geplukte bladeren verflensen (fijnere variëteiten in de schaduw) tot ze slap genoeg zijn om ze te rollen zonder het bladoppervlak te breken. De bladeren geven nu een fruitige, bijna appelachtige geur af. Vervolgens wordt het verflenste blad gerold om de chemische stoffen in het blad vrij te laten komen die essentieel zijn voor de uiteindelijke kleur en smaak. In sommige fabrieken wordt dit nog steeds met de hand gedaan, maar de meeste gebruiken machines. De gerolde propjes thee worden dan gebroken, waarna de blaadjes 3,5 tot 4,5 uur in een koele ruimte worden uitgespreid om zuurstof op te nemen, die een chemische verandering in de stukjes veroorzaakt en ze doet verkleuren van groen naar koperrood.

Ten slotte wordt het geoxideerde (of gefermenteerde) blad gevuurd om de natuurlijke rotting tegen te gaan. De blaadjes worden nu zwart en krijgen hun herkenbare theegeur. Het vuren werd van oudsher gedaan in grote pannen boven open vuren. In sommige fabrieken in China gebeurt dit nog steeds, maar de meeste producenten gebruiken nu hete-luchttunnels of ovens.

Nduthee uit Kameroen.

De CTC-methode (Cut, Tear and Curl) levert kleinere stukjes blad op die een sterker, sneller aftreksel geven, waardoor ze ideaal zijn voor gebruik in theezakjes. De verflenste bladeren worden door de ongelijk draaiende rollers van een CTC-machine of door een LTP-machine (Lawrie Tea Processor) gehaald, die ze in kleine stukjes scheurt en breekt. De rest van het proces is hetzelfde als bij orthodoxe zwarte theeën.

PRODUCTIE VAN ZWARTE THEE

De bladeren worden verdeeld over lange tafels.

Een traditionele rolmachine kneust de bladeren.

Gekneusde bladeren worden worden uitgespreid om te 'fermenteren' of 'oxideren.'

Tijdens het drogen verkleuren de bladeren van roestbruin naar zwart.

De CTC-machine snijdt en scheurt de bladeren in kleine stukjes.

GEAROMATISEERDE THEE

Groene, oolong en zwarte thee worden gebruikt voor het maken van gearomatiseerde thee. De toegevoegde smaakstoffen worden vermengd met het bewerkte blad vlak voor de thee wordt verpakt. Voor jasmijnthee worden hele jasmijnbloesems toegevoegd aan groene of zwarte thee, voor Rose Pouchong of Rose Congou worden rozenblaadjes vermengd met Chinese of Formosa-oolong of zwarte thee. Voor vruchtenthee wordt de etherische olie van de vrucht meestal vermengd met de bewerkte thee. Kruiden-, vruchten- en bloementhee en -aftreksels die geen product van de *Camellia sinensis* bevatten, mogen niet worden verward met gearomatiseerde thee. Deze aftreksels zijn eigenlijk geen echte thee.

GEPERSTE THEE

Tijdens de Tang-dynastie persten de Chinese theeproducenten hun thee voor het eerst tot blokken door de groene bladeren eerst te stomen en ze dan samen te persen tot blokken of tegels die te drogen werden gelegd. De Chinese theetegels van nu bestaan uit stofthee die hydraulisch tot tabletten van ruim 1 kilogram worden geperst. Tevens zijn er blokjes van zeven lagen, theebolletjes en nest- en komvormige geperste theeën verkrijgbaar. Pu'erh-thee wordt verkocht vanwege de medicinale eigenschappen en schijnt buitengewoon goed te zijn voor de spijsvertering en tegen diarree, indigestie en hoge cholesterolgehaltes.

Chinese thee met orchidee.

Chinese geperste thee, Tuocha Lubao.

Productiemethoden

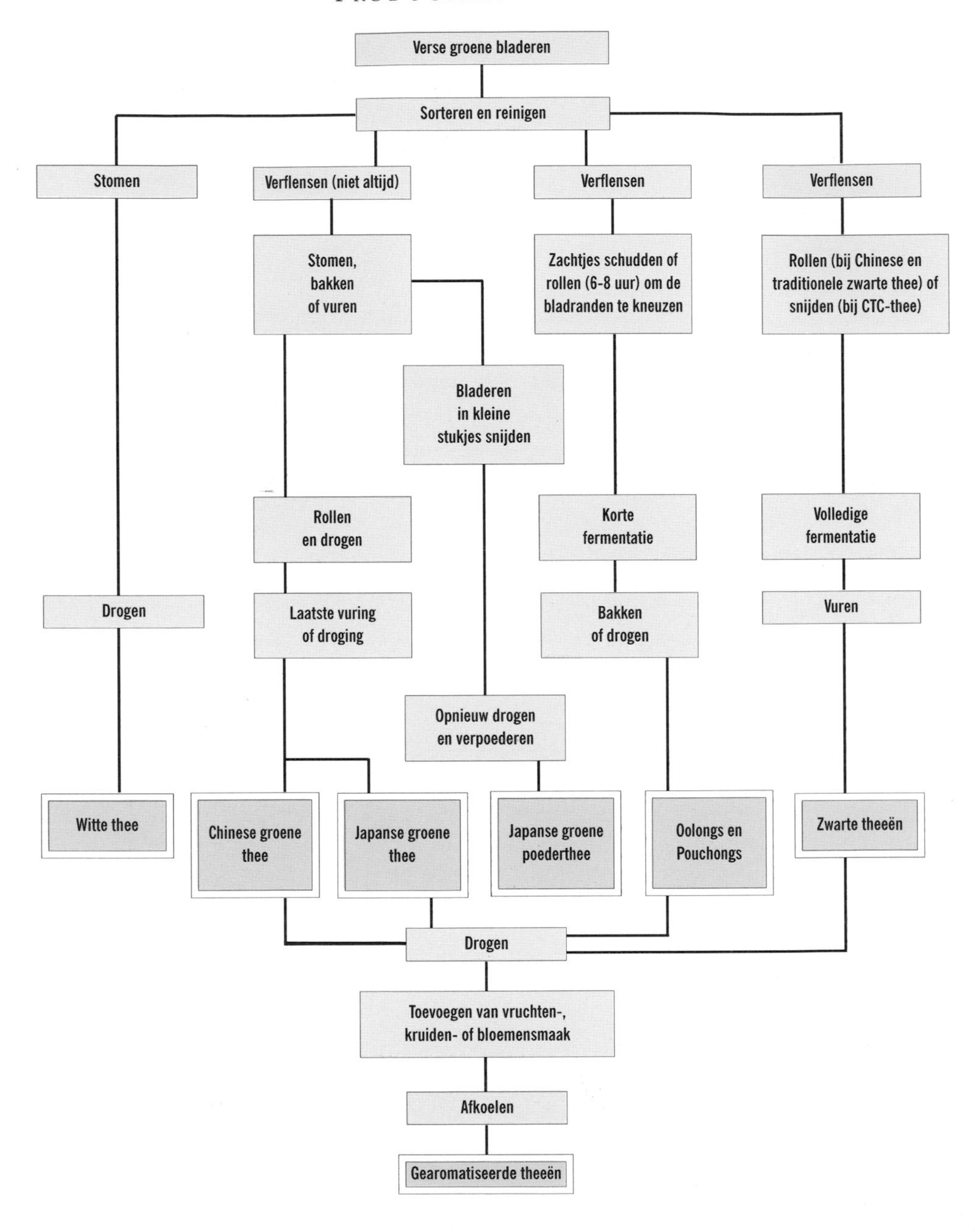

BIOLOGISCH THEE

De biologische teelt is een relatief nieuwe ontwikkeling. Deze teelt is zeer gecompliceerd en streng gereguleerd. Meststoffen, pesticiden en onkruidverdelgers mogen beslist geen chemicaliën bevatten en moeten geheel gebaseerd zijn op substanties als mest, compost, natuurlijk biologisch materiaal en planten en bomen die bijvoorbeeld noodzakelijke voedingsstoffen en grondstrooisel leveren. Biologische plantages hebben tot doel de bodemvruchtbaarheid en productiviteit op de lange termijn veilig te stellen, het milieu te beschermen en een soort biologisch micro-systeem te scheppen waarin een economisch haalbare thee zonder chemicaliën wordt geproduceerd.

Dit betekent niet dat alle niet-biologische thee chemicaliën bevat. Het gaat erom dat er biologische thee wordt geleverd aan een groeiende groep consumenten die zich bekommert om om het milieu en die goede kwaliteit en smaak erkent en waardeert van de biologische thee die tegenwoordig wordt geproduceerd in India, Afrika en Sri Lanka. Makaibari in Darjeeling werd in 1990 erkend door de Britse vereniging van biologische boeren en telers en produceert hooggeprezen thee van zeer goede kwaliteit. Mullootor is ook een Darjeelingtuin die in 1986 overging op biologische teelt; Lonrho in Tanzania produceert biologische thee sinds 1989. Deze laatste thee wordt zelfs wel eens geschonken in Buckingham Palace. Op Sri Lanka teelt het Needwood Estate nu ook biologische thee.

Biologische kunstmest wordt gestrooid op een theeplantage in Tanzania.

THEEKLASSEN

De laatste fase in het bewerkingsproces is het sorteren. Wanneer de bladstukjes uit de droger of oven komen, gaan ze door zeefmachines met zeven van verschillende maten om ze op grootte te sorteren. Deskundigen sorteren niet naar kwaliteit of smaak, maar naar het uiterlijk en type van de blaadjes. De beste klassen geven echter bijna altijd ook de beste kwaliteit. De twee hoofdklassen zijn bladthee en gebroken thee; bladthee bestaat uit de grotere stukken die overblijven nadat de gebroken thee is weggezeefd.

Het sorteren is een cruciaal stadium in het productieproces omdat de sterkte, smaak en kleur bij het zetten in verschillende tempo's uit het blad in het kokende water trekken, die afhankelijk zijn van de bladgrootte: hoe groter het blad, hoe langer het moet trekken. Het is belangrijk dat alle stukjes blad die voor een pot thee worden gebruikt even groot zijn. Bij het vermengen van verschillende theeën moet elke thee ongeveer even grote blaadjes bevatten, want kleinere stukjes zakken naar de bodem en brengen de zorgvuldig gemengde melange uit balans.

De namen van de klassen verwijzen naar de grootte van het blad, waardoor we er van uit kunnen gaan dat stukjes van hetzelfde blad van verschillende grootte gelijk van kwaliteit zijn – het enige verschil is dat kleinere blaadjes sneller trekken.

Binnen elke klasse thee uit een bepaalde tuin kunnen er variaties in kwaliteit (en dus ook in prijs) optreden door het weer of het productieproces en theekopers moeten meerdere theeën proeven voor ze een keuze maken. Vaak wordt achter de naam van een klasse het cijfer 1 gezet om een thee van topkwaliteit aan te geven.

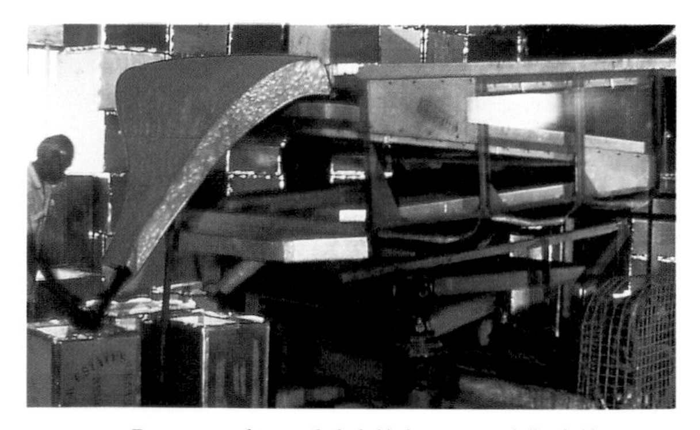

De sorteermachine verdeelt de bladeren in verschillende klassen.

VERSCHILLENDE KLASSEN

De bladklassen worden verdeeld in de volgende categorieën:

Flowery Orange Pekoe (FOP)
Thee die wordt gemaakt van de bladknop en de twee bovenste blaadjes van elke loot. Fijne, malse, jonge blaadjes, gerold met de juiste hoeveelheid puntjes, de fijne uiteinden van de knoppen, die kwaliteit verzekeren.

Golden Flowery Orange Pekoe (GFOP)
Dit is FOP met 'gouden puntjes', de uiteinden van de goudgele knoppen.

Tippy Golden Flowery Orange Pekoe (TGFOP)
Dit is FOP met veel gouden puntjes.

Finest Tippy Golden Flowery Orange Pekoe (FTGFOP)
Dit is FOP van bijzonder goede kwaliteit.

Special Finest Tippy Golden Flowery Orange Pekoe (SFTGFOP)
Dit is de allerbeste FOP.

Orange Pekoe (OP)
Dit bevat lange, puntige bladeren die groter zijn dan die van FOP en geoogst zijn toen de bovenste blaadjes net opengingen. OP bevat zelden 'puntjes.'

Pekoe (P)
Bestaat uit kortere, wat grovere blaadjes dan OP.

Flowery Pekoe (FP)
De bladeren voor FP worden tot bolletjes gerold.

Pekoe Souchong (PS)
Bestaat uit kortere, grovere blaadjes dan P.

Souchong (S)
Grote bladeren worden in de lengte gerold, waardoor er grove, rafelige stukken ontstaan. Deze naam wordt vaak gebruikt voor Chinese gerookte theeën.

Gebroken-theeklassen worden verdeeld in de volgende categorieën:

Golden Flowery Broken Orange Pekoe (GFBOP), Golden Broken Orange Pekoe (GBOP), Tippy Golden Broken Orange Pekoe (TGBOP), Tippy Golden Flowery Broken Orange Pekoe (TGFBOP), Flowery Broken Orange Pekoe (FBOP), Broken Orange Pekoe (BOP), Broken Pekoe (BP), Broken Pekoe Souchong (BPS)
Fannings/Fines (ook wel stof- en gruisthee genoemd) Fannings zijn de fijnste ziftsels, die nuttig zijn voor het maken van theezakjes die snel moeten trekken. Ook gebroken-theeklassen krijgen een 1 als het om de beste kwaliteit gaat. Stof- en gruisthee worden als volgt ingedeeld:
Orange Fannings (OF), Broken Orange Pekoe Fannings (BOPF), Pekoe Fannings (PF), Broken Pekoe Fannings (BPF), Pekoe Dust of Red Dust (RD), Fine Dust (FD), Golden Dust (GD), Super Red Dust (SRD), Super Fine Dust (SFD), Broken Mixed Fannings (BMF)

MELANGES

Na de verschillende stadia van het productieproces wordt de thee verpakt en onvermengd op de markt gebracht of vermengd met thee uit andere tuinen of andere gebieden of landen. Dit gebeurt omdat thee net als wijn per jaar van smaak of kwaliteit verschilt door veranderingen in het weer en soms in het productieproces. Dit betekent dat bijvoorbeeld een Broken Orange Pekoe uit 1996 van het Diyagama Estate op Sri Lanka kan verschillen van dezelfde klasse uit dezelfde tuin in 1997. Sommige theekenners kopen het liefst alleen onvermengde theesoorten om elk jaar van dezelfde subtiele verschillen te kunnen genieten. Andere theedrinkers willen liever zeker weten dat, wanneer ze een bepaalde thee kopen –bijvoorbeeld Darjeeling First Flush, Ceylon Broken Orange Pekoe, Engelse ontbijtmelange–, die altijd precies hetzelfde smaakt. Door enkele theesoorten te vermengen, kunnen theepakkers de smaak en kwaliteit van die thee van jaar tot jaar garanderen.

Vakkundig mengen zorgt voor een constante smaak.

Het mengen van thee is een ware kunst. Theeproevers testen dagelijks honderden theeën om de noodzakelijke bestanddelen voor een melange te selecteren, die wel vijftien tot 35 verschillende theesoorten kan bevatten. Het mengen van een bepaald recept gebeurt in grote vaten om te zorgen voor een gelijkmatige vermenging, waarna de inhoud verpakt wordt in theezakjes, pakjes of blikjes.

DE THEEPROEVER

Theeproeven is een belangrijk onderdeel van het werk van zowel theeleveranciers als -pakkers. De leveranciers proeven theeën om hun waarde te schatten voor ze geveild worden en de pakkers beslissen welke afzonderlijke theeën er nodig zijn voor een standaardmelange. Het kost minimaal vijf jaar om theeproever te worden en de meesten zullen u vertellen dat ze zelfs na veertig jaar nog elke dag bijleren.

De theeproever slurpt de thee snel op.

Als voorbereiding op het proeven worden de droge theebladeren in rijen bakjes op de proeftafel gelegd. Dan wordt er een afgewogen hoeveelheid thee in een speciale mok met deksel geschept en wordt er kokend water op gegoten. De trektijd wordt zorgvuldig gemeten, meestal 5 of 6 minuten. Vervolgens wordt het aftreksel in kommen geschonken en de gebruikte blaadjes op het deksel van de mok geschept. In Engeland doen proevers meestal ook een hoeveelheid melk in de thee, omdat de meeste melanges op de Britse markt bedoeld zijn om met melk te worden gedronken.

De proever werkt ongeveer net zo als een wijnproever. Hij slurpt de thee snel naar binnen zodat die de smaakpapillen raakt, laat de vloeistof in de mond rollen om de smaak te bepalen en spuugt hem dan uit. De proever let bij zijn beoordeling ook op het uiterlijk van het droge blad, het getrokken blad en de kleur en kwaliteit van het aftreksel.

THEEPROEVERSTERMEN

Proevers en mengers hebben een groot vocabulaire om de smaak en het uiterlijk van thee te beschrijven. Veel gebruikte termen zijn:

Afwijkend: onaangename smaak veroorzaakt door chemicaliën, vochtig weer, vervuiling tijdens het transport, enzovoort

Bitter: metalig, niet aangenaam. Duidt op de vloeistof

Dun: verwijst naar de smaak. Thee die weinig krachtig is. Veroorzaakt door te sterk verflensen, te kort rollen of een te hoge temperatuur bij het rollen

Fijngerold: goed gedraaid blad. Tegenovergestelde van rechte stukjes

Fris: verwijst naar de smaak

Fris/geurig: verwijst naar de smaak van een aftreksel met een uitstekend karakter

Geurig: verwijst naar de smaak

Grijs/vaal: verwijst naar het blad. Geen gewenste eigenschap

Groenig: een aftreksel met een heldergroene kleur (niet gewenst). Verwijst naar de smaak

Grof: grote stukken blad (uiterlijk)

Karaktervol: scherp zonder bitter te zijn. Zeer goede eigenschap

Kort: blad dat op hagelslag lijkt, nadat het niet gerold, maar gehakt is in een breek- of snijmachine

Mooie, levendige schenk: geeft een helder aftreksel

Mooie, volle kleur: verwijst naat het aftreksel

Moutig: verwijst naar de smaak van goede thee

Onregelmatig: verwijst naar het uiterlijk van de bladstukjes

Regelmatig: bladstukjes van ongeveer dezelfde grootte

Ruw: verwijst naar de smaak van de vloeistof. Niet gewenst

Tip: het uiteinde van de tere, jonge knoppen die als gouden puntjes in de bewerkte thee te zien zijn

Vaal: een sterk, maar niet erg goed aftreksel

Vlak: gewenste eigenschappen ontbreken. Verwijst naar de smaak van het aftreksel

Vlak/dood: het tegengestelde van 'mooie, levendige schenk.' Geen gewenste eigenschap

Vlokkerig: verwijst naar de vorm van de blaadjes

Vol/krachtig: geeft een sterk en geen dun, slap aftreksel (smaak)

Zacht/rond: het tegengestelde van groenig, ruw, enzovoort

Zeer regelmatig structuur van theezakjesthee: niet stoffig, verwijst naar het uiterlijk van het blad

DE THEEHANDEL

Tot de bouw van de klipperschepen in de jaren 1840 kostte het tussen de vijftien en achttien maanden om ladingen thee vanuit China en Java naar Londen te verschepen. De theeraces trokken enorm veel publiciteit en maakten het alledaagse product spannend en kleurrijk. Tegenwoordig wordt de thee op heel wat minder spectaculaire wijze van de plantage naar de consument vervoerd: in grote containers die in het land van productie worden gevuld (soms op de plantage zelf, maar meestal bij de haven), in vrachtschepen worden geladen en naar consument worden vervoerd. Voorzichtige behandeling en droge, veilige opslag zijn nog steeds cruciaal bij het massatransport van thee en er worden voortdurend verbeteringen doorgevoerd op alle niveaus – van teelt en bewerking tot verscheping en verkoop.

Vroeger werd alle thee verkocht aan koopvaarders die de thee naar hun eigen land vervoerden en het dan op de veiling verkochten. De vroegst bekende veiling in Engeland vond plaats in Londen op 11 maart 1679 en halverwege de achttiende eeuw werden er driemaandelijkse veilingen van Chinese thee gehouden. In 1861 werden in Calcutta de eerste Indiase veilingen gehouden en sindsdien hebben de meeste landen van herkomst hun eigen veilinghuizen gekregen – Colombo in 1957, Chittagong in 1949, Nairobi in 1957, etc. In 1982 werden er 'offshore'-veilingen georganiseerd, waardoor de leveranciers sneller betaald konden worden.

Een vrachtschip wordt volgeladen met thee.

Tegenwoordig wordt ongeveer de helft van de theeproductie verkocht op openbare veilingen; alleen Chinese thee wordt niet op deze wijze aan de man gebracht. Voor een veiling wordt er in elke theekist of -zak een klein gaatje geboord en worden proefmonsters naar de voornaamste theekopers gestuurd. Als het geproefde monster een koper bevalt, zal hij er op de veiling naar bieden. Soms worden er op deze manier wel 50.000 kisten (2.500.000 kg) thee in een dag verkocht. De hoogste bieder verscheept de thee die hij gekocht heeft om een bestelling te voldoen of stuurt proefmonsters naar importeurs over de hele wereld. Ten slotte worden de ladingen verscheept van het land van herkomst naar de importerende landen. De huidige veranderingen in de handel kunnen uiteindelijk leiden tot de invoer van elektronische veilingen via beeldschermen, waarbij inkopers vanuit hun kantoren overal ter wereld kunnen bieden zonder persoonlijk in het veilinghuis aanwezig te hoeven zijn.

VERPAKKING

Tot 1368 was de Chinese thee in de vorm van geperste blokken en tegels gemakkelijk op te slaan en te vervoeren. De compacte blokken vielen niet uiteen en behielden hun smaak. De overgang op losse bladthee tijdens de Mingdynastie leverde echter nieuwe problemen op voor opslag en transport. De bladeren werden vervoerd in bamboe manden (die de smaak niet erg goed beschermden), in aardewerken potten (die bijzonder zwaar waren) of in gelakte kisten. Met het ontstaan van de handel met Europa en Amerika in het begin van de zeventiende eeuw waren potten en manden niet praktisch meer en werden ze vervangen door eenvoudige houten kisten. Gewone thee werd verpakt in bamboe kratten gevoerd met was-, rijst-, bamboe- of moerbeipapier. Kwaliteitsthee werd verpakt in gedecoreerde lakkisten en meestal gold hierbij: hoe beter de thee, hoe kleiner de kist.

Toen Engeland begon met de productie van thee in Assam, werden er in Rangoon kisten gemaakt van speciale pakketten met daarin planken op de juiste lengte, loden platen voor de binnenkant en vellen zilverfolie om de thee mee af te dekken. Om de lucht uit de thee te krijgen en hem dus compacter te kunnen verpakken, werden de kisten op een gespleten bamboestok heen en weer geschud of werd de thee met de voet omlaaggedrukt. Deze primitieve methoden werden later vervangen door trilmachines. Later meende men dat de loden binnenkant de thee aantastte en verving men deze door aluminiumfolie.

Tegenwoordig worden theekisten steeds minder gebruikt, behalve voor het transport van dure, grovere thee die gemakkelijk kan breken in de papieren zakken die de kisten vervangen hebben. Deze zakken worden gemaakt van lagen stevig papier met een laag alumini-

Voor het transport van grove bladthee worden kisten gebruikt.

umfolie aan de binnenkant, die de thee beschermt tegen geurtjes en vocht. Lege zakken worden aan theeplantages over de hele wereld geleverd en, eenmaal gevuld, op pallets geladen en in containers gepakt voor verscheping. De papieren zakken hebben het transport van thee eenvoudiger, lichter en efficiënter gemaakt en zijn bovendien milieuvriendelijker, doordat ze de vraag naar hout verminderen en ze na gebruik gerecycled kunnen worden.

Tot ongeveer 1820, toen de thee de Europese detailhandel bereikte, werd hij los verkocht en konden de klanten een papieren zakje met zoveel of zo weinig kopen als ze wilden. Kooplui verkochten de theeën puur of vermengden ze naar de wensen van de klant. In 1826 produceerde John Horniman als eerste voorverpakte thee in een poging de klant te stimuleren om thee met een naam –zijn naam– te kopen, in plaats van wat de winkelier maar in voorraad had. Zijn idee sloeg pas rond 1880 aan, toen de meeste theepakkers hun thee op deze manier op de markt brachten en uitgebreide reclamecampagnes opzetten waarbij allerlei geschenken werden aangeboden, van piano's tot weduwepensioenen, bij aankoop van thee.

Tegenwoordig is voorverpakte thee verkrijgbaar in veel verschillende kartonnen pakjes (waarvan sommige zijn ontworpen om het theebusje op de keukenplank te vervangen), decoratieve blikjes en houten kistjes. Sommige theepakkers leveren ook thee die in het land van herkomst vacuümverpakt is om de kwaliteit te bewaren.

Het logo van Transfair International.

FAIR TRADE

Fair Trade –eerlijke handel– heeft tot doel de scheve verhoudingen aan te pakken tussen het loon van de arbeiders, met name in de Derde Wereld, die de thee produceren en de verdiensten van degenen die erin handelen. Dit betekent dat theepakkers rechtstreeks inkopen bij kleine productiegroepen en verkopen via postordercatalogi en speciale verkooppunten. Het door de producenten verdiende geld wordt gebruikt om de levensstandaard van arbeiders te verbeteren door pensioenfondsen, alternatieve opleidingsmogelijkheden, verbeteringen van het leefmilieu en sociale en medische zorg. In 1995 bereikten bijvoorbeeld de eerste opbrengsten van Fair Trade-thee de Ambootia-plantage in Darjeeling, India, waar in 1968 een deel van de plantage in de vallei eronder stortte. Het geld wordt gebruikt om de aardverschuiving (de grootste in Zuid-Azië) een halt toe te roepen en de verwoesting te voorkomen die een bedreiging vormt voor de plantage, het milieu en de economische zekerheid van de plantage-arbeiders.

Fair Trade-thee van enkele erkende theeplantages in Darjeeling, Assam, Zuid-India, Sri Lanka, Nepal, Tanzania en Zimbabwe is onderhand verkrijgbaar in een behoorlijk aantal landen, waaronder Nederland, Duitsland, Zwitserland, Italië, Luxemburg, Groot-Brittannië, Oostenrijk, Canada, Japan en de Verenigde Staten.

TRENDS

De laatste dertig of veertig jaar is de theeproductie gegroeid met 156 procent en werd in 1995 een recordoogst bereikt van 2.854.982 ton, 2 procent meer dan in 1994. Dit is voornamelijk het resultaat van verbeterde productiemethoden, nieuwe planttechnieken, de kweek van geselecteerde stekplanten, verbeterde ongedierte- en ziektebestrijding, nieuwe machines en vorderingen in onderzoek en technologie. Tegelijk met het versnelde productietempo heeft de gestadige daling van de theeprijzen sinds 1963 tot problemen geleid in bepaalde productielanden, waar de stijgende productiekosten niet gecompenseerd worden door winst.

De productie van individuele landen kan nogal schommelen en is afhankelijk van weersomstandigheden, politieke en economische stabiliteit en de betrokkenheid van het betreffende land bij de productie. Sommige landen, zoals Mauritius, Uganda en China, verminderen momenteel hun productie.

Ook de import- en exportpatronen zijn de laatste drie of vier decenia aanzienlijk veranderd; de vraag in Groot-Brittannië is bijvoorbeeld afgenomen. Na Ierland verbruikt Groot-Brittannië de meeste thee, maar in 1995 werd er 8 procent minder geïmporteerd dan het jaar ervoor. Dit werd voor een deel toegeschreven aan een zeer hete zomer. En in de VS was de totale import van 89.618 ton 16 procent lager dan in 1994. Dit was deels te wijten aan te optimistische voorspellingen over de vraag naar kant-en-klare thee in flessen en blikjes.

In Pakistan, Rusland en andere sovjetrepublieken groeide de import, in de laatste twee gevallen door economisch herstel en gunstige commerciële voorwaarden van de exporterende landen. En de toegenomen eigen consumptie in India, China en andere Aziatische landen heeft bijdragen aan een grotere vraag in sommige sectoren van de markt. Ook West-Europa is meer thee gaan importeren, vanwege een bredere en groeiende belangstelling voor thee in met name Duitsland en Frankrijk.

In alle landen heeft de theemarkt te maken met voortdurende concurrentie van koffie en frisdrank. Maar onder de theedrinkers in Groot-Brittannië, de VS en Japan is men zich steeds meer bewust van de verschillende soorten thee en is er een groeiende vraag naar onvermengde kwaliteitsthee.

De theehandel heeft er vertrouwen in dat het huidige onderzoek naar de positieve invloed van theeconsumptie op de gezondheid als resultaat zal hebben dat meer mensen thee gaan drinken. De media doen reeds verslag van het feit dat thee de kans op beroertes en trombose kan verkleinen en men verwacht dat de verdere resultaten van de experimenten een positieve boodschap zullen brengen die zal leiden tot een wereldwijde toename in de vraag naar thee.

THEEGEREI

THEEPOTTEN

IN DE VROEGSTE CHINESE GESCHIEDENIS VAN HET THEEDRINKEN werden de bladeren in open pannen in water gekookt. Maar door de gewoonte uit de Ming-dynastie om bewerkte bladeren te laten trekken in heet water, ontstond er behoefte aan een afgesloten pot om de blaadjes in te laten trekken en het aftreksel warm te houden. een bepaald soort kan die op onze theepot lijkt, werd in China al eeuwenlang voor wijn gebruikt en werd nu aangepast voor het zetten van thee.

Geleidelijk ontstond het idee van de theepot en tegen de tijd dat de Nederlanders ladingen thee van China naar europa brachten, aan het eind van de zestiende eeuw, waren de theepotten die ze samen met de thee inkochten klein, breed van onderen en compact, met brede tuiten die niet snel verstopt raakten met blaadjes. Het Chinese aardewerk was nieuw voor Europa en pas rond 1670 slaagden Nederlandse pottenbakkers erin de hittebestendige

Chinees porselein, ca. 1690.

Meissen, ca. 1740.

Engels zilver, 1729.English silver, 1729.

potten na te maken. Twee succesvolle pottenbakkers uit Nederland, de gebroeders Elers, vestigden zich in Staffordshire in Engeland; dit was het begin van de Engelse aardewerkindustrie.

Net zomin als de Europeanen bekend waren met aardewerk uit China, hadden ze ooit kunnen dromen van het fijne, doorzichtige Chinese porselein uit de Tang-dynastie. Het kostte de gebroeders Elers en andere Europese pottenbakkers bijna honderd jaar om het geheim van echt porselein te ontsluieren. In de achttiende eeuw begonnen de Engelse pottenbakkers aardewerken en porseleinen theeserviezen te maken en werden namen als Wedgwood, Spode, Worcester, Minton en Derby beroemd. Hoewel deze vroege fabrikanten moeite hadden met het maken van grotere borden en schalen die niet krom trokken of braken tijdens het bakken, werd het kleinere theegerei gemakkelijker en met veel succes geproduceerd.

De grootte en vorm van theepotten is door de jaren heen meeveranderd met de wisselende smaken en trends. De vroege potten volgden de Chinese traditie van het gebruik van mythologische symbolen en schepsels. Latere potten gebruikten achttiende-eeuwse rococo of neo-klassieke vormen en de bijzonder versierde stijl van de Victoriaanse tijd.

Tegenwoordig zijn theepotten verkrijgbaar in alle mogelijke soorten en maten: groot of klein, simpel, praktisch, sierlijk, kleurrijk of eenvoudig wit, met of zonder theefilter. Ze zijn er ook in alle mogelijke vormen –van dieren, vogels en planten tot meubelstukken, voertuigen, personages uit de literatuur en bekende personen.

Staffordshire porselein, ca. 1900.

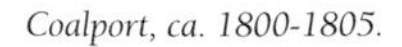

Coalport, ca. 1800-1805.

Noritake, ca. 1930.

THEEPOT MET FILTER

Er zijn tegenwoordig mooie theepotten op de markt met een ingebouwd filter in de hals van de pot. Verwarm deze pot voor het zetten van thee op de gebruikelijke manier voor, schep de afgemeten hoeveelheid blaadjes in het filter en giet er kokend water op. Doe het deksel erop en laat de thee het vereiste aantal minuten trekken. Neem het filter met de blaadjes eruit zodra de thee de gewenste sterkte heeft.

Boven: Jenaglazen theepot en -lichtje, zo bewonderd om zijn ontwerp dat hij wordt tentoongesteld in het Museum of Modern Art in New York.

Onder: Moderne theepot met filter en een theeglas.

'CAFETIÈRE' VOOR THEE

Het idee achter dit soort pot is om de blaadjes na het trekken op dezelfde manier te isoleren als dat met koffie gebeurt in een cafetière. Zodra de thee de gewenste sterkte heeft, wordt de pers omlaaggedrukt zodat er geen contact meer is tussen de blaadjes en het water. Zo kan de thee niet sterker worden. Het voordeel van het gebruik van een cafetière als theepot boven de filterpot is dat er niet geknoeid hoeft te worden met een druipend filter dat uit de pot gehaald moet worden.

Cafetière als theepot.

FILTERS

Traditionele theepotten hebben meestal geen ingebouwd filter, daarom zijn er diverse filters en thee-eieren op de markt voor elke soort pot, kop of mokken. Ze zijn er in verschillende afmetingen en van verschillende materialen. Koop geen eenkopsfilters; die geven de theeblaadjes niet genoeg ruimte om goed te trekken. Grotere theeblaadjes zetten bij het trekken in kokend water soms uit tot enkele malen de grootte van het droge blad en als ze daar niet de ruimte voor krijgen, kunnen de deeltjes die het aftreksel zijn smaak geven niet uit de blaadjes in het water trekken.

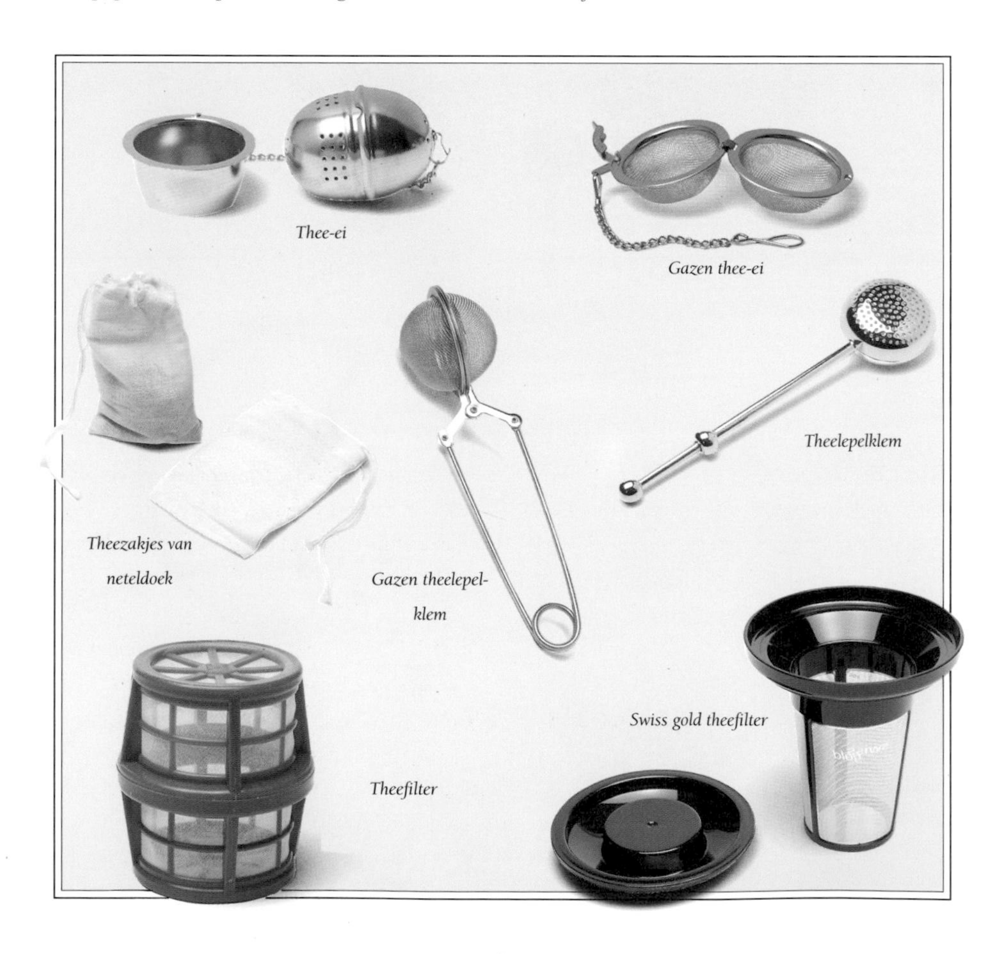

Thee-ei

Gazen thee-ei

Theezakjes van neteldoek

Gazen theelepelklem

Theelepelklem

Swiss gold theefilter

Theefilter

Porseleinen mokken met filter.

FILTERMOKKEN

Filtermokken zijn een uitstekende manier om thee te zetten voor één persoon. Het concept is gebaseerd op de Chinese afgedekte theekop, de *guywan*, maar houdt er rekening mee dat het beter is om zwarte en oolongblaadjes uit het kokende water te halen zodra het aftreksel de juiste sterkte heeft. Het ruime formaat van het filter zorgt ervoor dat de blaadjes genoeg ruimte hebben om goed te trekken.

Verwarm de mok voor met kokend water en zet vervolgens de thee zoals het hoort (zie blz. 76). Schep de benodigde hoeveelheid thee in het filter en giet er dan voor oolong en zwarte thee kokend water en voor groene of witte thee net niet kokend water. Neem het filter uit de mok zodra de thee klaar is.

DE GUYWAN (Chinese kop met deksel)

De *guywan* (Mandarijns voor afgedekte kop; *zhong* of *cha chung* in het Kantonees) wordt in China gebruikt sinds circa 1350. Hij bestaat uit schotel, kom en deksel, die samen gebruikt dienen te worden. Schep voor het zetten van zwarte thee of oolong op de traditionele Chinese manier de thee in de *guywan*. Giet er

Chinese guywan.

kokend water op tot het kopje net niet halfvol is en giet deze meteen weer af en gebruik het deksel daarbij als zeefje. Verwijder nu het deksel en snuif de geur van de 'gespoelde' blaadjes op. Sla voor het zetten van groene thee deze eerste stap over en begin direct met de volgende stap.

Giet vervolgens opnieuw kokend water in de *guywan*, niet rechtstreeks op de bladeren maar langs de binnenkant van het kopje, zodat de blaadjes over de bodem gaan wervelen. Laat voor groene thee de blaadjes onafgedekt twee of drie minuten trekken. Doe voor zwarte thee of oolong het deksel op de kop en laat de thee het vereiste aantal minuten trekken (zie de bereidingstips in de theecatalogus in het tweede deel van dit boek).

Houd het schoteltje in de palm van de rechterhand en steun het kopje met de duim. Til met uw linkerhand het deksel iets op en draai het wat van u af, zodat het de blaadjes weghoudt terwijl u de thee drinkt. Voeg halverwege nog wat heet water toe, opnieuw langs de binnenkant van de kop, om nog meer smaak uit de thee te halen. Een derde wateraanvulling kunt u rechtstreeks op de blaadjes gieten. Ga door met drinken en water toevoegen zolang de theeblaadjes nog genoeg smaak afgeven.

De Yi-Hsing-theepot

In Yi-Hsing wordt al sinds 2500 v.Chr. uitstekend aardewerk gemaakt. Naar men zegt werd de eerste ongeglazuurde *zisha* (paars zand) Yi-Hsing-theepot in het begin van de zestiende eeuw gemaakt door een monnik. Het aardewerk bleek de thee beter heet te houden dan porselein en de roodbruine of groene potten werden zowel in China als in Japan zeer populair. Ze werden gemaakt in allerlei fantastische vormen –lotusbloem, narcis, vruchten, bamboestam– of in strakke, simpele vormen die de schoonheid van het aardewerk voor zichzelf lieten spreken.

Echte theeliefhebbers weten de Yi-Hsing-potten nog steeds te waarderen. Het ongeglazuurde aardewerk zou de smaak van goede Chinese thee beter uit doen komen. Een nieuwe pot heeft wat tijd nodig om een laagje te krijgen dat de thee zijn eigen smaak geeft en moet slechts voor één soort thee gebruikt worden. Zet de thee volgens de Gulden Regels op blz. 76.

Chinese Yi-Hsing-theepot van rood aardewerk met geëmailleerde bloemen en Japanse kers.

JAPANSE THEEKOMMEN

De grote theekommen die in Japan gebruikt worden voor groene poederthee zijn in verschillende vormen te koop. Kies een vrij dikke kom (een te dikke kom wordt niet warm genoeg; een te dunne wordt te warm om vast te houden) die aan de buitenkant zacht, glad en prettig aanvoelt. Hij moet breed genoeg zijn, zodat het bamboe kloppertje gemakkelijk en effectief gebruikt kan worden. Rakuservies, gefabriceerd in Japan, voldoet naar men zegt aan alle voorwaarden van een groene-theekom en ook kommen uit Korea, oorspronkelijk bestemd voor rijst, voelen prettig aan en zijn zeer geschikt.

Schep voor groene thee ruim ½ theelepel Matcha (Japanse groene poederthee) in een kom en giet hier geleidelijk 8 eetlepels water van 85 °C op. Klop snel en licht met de *chasen*, het kloppertje, om een schuimige, volle thee te verkrijgen.

Japanse kom en bamboekloppertje voor poederthee.

THEEMUTSEN

Voor theemutsen geldt hetzelfde als voor moderne theepotten: ze zijn er in alle mogelijke verschijningsvormen. Theemutsen moeten zeer zorgvuldig gebruikt worden. Een theemuts op een theepot met theeblaadjes en heet water kan de thee wrang of bitter laten smaken. Het is veel beter de thee met een thee-ei te zetten, het ei eruit te nemen als de thee sterk genoeg is en de pot dan onder een theemuts te zetten. Of zeef de thee in een tweede, verwarmde pot en zet er een theemuts op.

Sommige theepotfabrikanten maken nog steeds de fraaie theepot die in de jaren '30 en '40 zeer populair was, de *Cosiware* pot, met in de hals een eenvoudig uitneembaar filter en een omhulsel van geïsoleerd chroom waardoor de thee goed heet blijft.

DOOSJES EN SCHEPJES

In het begin werd de thee bewaard in de potten en flessen die samen met de scheepsladingen thee vanuit China werden verstuurd. Dit waren meestal kleine, bolle potjes van karakteristiek oosters, blauw-wit porselein met kopvormige deksels die werden gebruikt om de thee voor gebruik mee af te meten. Geleidelijk ontstonden er Europese potten, busjes en doosjes in allerlei soorten en maten – ronde, vierkante en cilindrische doosjes, potjes en flessen van zilver, kristal, steengoed en hout. In het Engels gebruikt men voor deze theedoosjes het woord *caddy*; een verbastering van het Maleisische woord *kati*, een inhoudsmaat van ongeveer een pond.

De doosjes uit het begin van de achttiende eeuw –theekistjes– hadden twee of drie aparte vakjes voor verschillende theesoorten en soms ook voor suiker. Ze konden allemaal op slot en de sleutels bleven onder de hoede van de vrouw des huizes, die verantwoordelijk was voor het theezetten voor familie en gasten. De thee was veel te kostbaar om zomaar aan het personeel toe te vertrouwen en dus bleef het kistje buiten het bereik van het personeel in de salon.

Theeschepjes.

Engels theekistje in de stijl van een legerkist, c. 1860.

Papieren theedoosje met filigreinwerk.

Aan het eind van de achttiende en gedurende de hele negentiende eeuw werden kistjes en doosjes gemaakt van allerlei materialen, waaronder zeldzame houtsoorten, zilver, schildpad, paarlemoer, ivoor, porselein en kristal.

De Chinezen waren al eerder in de achttiende eeuw fruitvormige bakjes gaan maken en er verschenen Engelse en Duitse imitaties in de vorm van peren, appels, aardbeien, aubergines, ananassen en meloenen. Sommige werden beschilderd, maar de meeste werden gelakt en moesten de losse, scharnierende deksels geopend om de met folie bedekte binnenkant te tonen.

Toen de theeprijs tegen het eind van de negentiende daalde, nam het gebruik van afsluitbare kistjes af en werden de blaadjes die eens bewaard werden in kostbare, bewerkte doosjes en kistjes op dressoirs en schoorsteenmantels in beschaafde salons en boudoirs overgedaan in goedkope blikken en doosjes die net als alle andere levensmiddelen gewoon in de keuken stonden.

De eerste theeschepjes waren diepe lepels met lange handvaten, gemaakt voor de theekistjes. Vanaf circa 1770 verschenen er kortere theeschepjes, ontworpen voor lagere doosjes en vaak in de vorm van een miniatuur sint-jakobsschelp. De oorsprong van dit motief ligt in het feit dat kooplui altijd een echte sint-jakobsschelp in theekisten legden als schepje waarmee potentiële klanten monsters uit de kist konden halen. Er bestaan schepjes in de vorm van bladeren, eikels, zalmen, distels en spades, maar de schelp, de jockeypet, de hand en de adelaarsvleugel zijn altijd de populairste geweest. Het schelpmotief van de theeschepjes komt ook vaak voor op theelepels, -zeefjes en suikertangen.

THEEZEEFJES

Bij het gebruik van losse thee is er een thee-zeefje nodig om de blaadjes op te vangen, als de thee in het kopje wordt geschonken. Er zijn verschillende zeefjes op de markt, waarvan de mooiste meestal van zilver of chroom zijn. Zeefjes van plastic en roestvrij staal voldoen, maar zijn niet erg mooi en kunnen dus beter alleen in de keuken worden gebruikt.

De voorloper van het moderne theezeefje, dat pas rond 1790 in gebruik werd genomen, was een lepel met gaatjes en een lang, puntig handvat, die verscheen aan het eind van de zeventiende eeuw. Mogelijkerwijs werd het handvat gebruikt om olijven of fruit aan te prikken en zo uit een pot of punchkom te halen, maar het is waarschijnlijker dat hij bestemd was voor het ontstoppen van de tuit, als die verstopt raakte met theeblaadjes. De lepel werd gebruikt als theeschepje om losse blaadjes uit de doos in de pot te scheppen (waarbij eventueel stof door de kleine gaatjes kon vallen) en vervolgend om ongewenst stof of losse blaadjes van het oppervlak van de ingeschonken thee te scheppen. Deze lepels begonnen te verdwijnen met het verschijnen van theezeefjes.

De vroegste zeefjes werden gemaakt door gedraaid metaaldraad of bamboe in de juiste vorm en grootte te vlechten. Toen ontstonden er, zoals bij alle theegerei, stijlen en vormen die door de eeuwen heen aan de mode onderhevig waren.

SUIKERTANGEN EN THEELEPELS

In europa en de koloniën werd thee met suiker aan het eind van de zeventiende eeuw erg populair. In die tijd was suiker verkrijgbaar in kegelvormige blokken die voor gebruik gebroken moesten worden. Elke keuken was uitgerust met een gietijzeren tang en kleine hakmesjes om de suiker mee te breken. Voor het gebruik in thee werden deze kleinere stukjes in een kom geserveerd en in de kopjes overgedaan met een zilveren suikertang. De eerste van deze tangen werden gemaakt in de vorm van miniatuur haardijzers en kregen rond 1720 en 1730 de vorm van schaartjes. In 1770 werden de schaartjes weer vervangen door praktische bolvormige tangen.

Theelepels ontstonden toen de populariteit van de suiker groeide en omdat de vroege theekommen uit China zo klein waren dat de lepeltjes die erin moesten ook klein moesten zijn. Ze werden gemaakt als kleine eetlepels en bleven klein en licht tot 1800, toen de Franse invloed ze groter maakte. Vanaf circa 1870 werden ze weer kleiner. De vroege lepels waren rijkelijk versierd en hadden op de rug vaak krullen, driedubbele struisveren, bladpatronen, emblemen, lijfspreuken, politieke symbolen en familiewapens. Deze trend liep af in de vroege jaren 1800 en na 1850 raakten veel simpeler lepels meer in trek. Tegenwoordig zijn theelepels vaak verkrijgbaar in sets van zes en worden ze vaak verpakt met een suikertang voor suikerklontjes.

THEEKOMMEN, -KOPPEN EN SCHOTELS

Het eerste theegerei dat in Europa gebruikt werd kwam in de zeventiende eeuw met de ladingen thee mee uit China en het was rond deze tijd dat men in de Engelse taal het woord *china* ging gebruiken voor het servies dat nodig

New Hall theekop en schotel, ca. 1900.

Coalport theekom.

Staffordshire theekop en schotel, ca. 1835.

Oosterse theekom, ca. 1900.

Engels porselein, ca. 1930.

'Amherst' kop en schotel.

Moderne Japanse kop en schotel van porselein.

was voor het serveren van thee. De eerste theekommen hadden geen oren en waren zo klein dat er niet meer dan twee of drie eetlepels thee in pasten. Ze waren meestal zo'n 5 cm hoog en iets breder dan ze hoog waren. Tussen 1650 en 1750 werd de kom groter en sprak men vaker van een bakje dan een kopje thee. Soms werden er decoratieontwerpen naar China gestuurd en sommig Chinees porselein werd door Engelse pottenbakkers beschilderd. Het oortje werd uiteindelijk overgenomen van de Engelse kandeelkom. De Chinese pottenbakkers hadden oorspronkelijk geen schotels voor de kommetjes gemaakt, maar deze verschenen op een gegeven moment en werden een vast onderdeel van het theegerei. In de achttiende en negentiende eeuw werden ze steeds dieper en werden ze zelfs gebruikt om uit te drinken; de hete thee werd dan uit het kopje in de schotel geschonken.

HET THEESERVIES

Toen in de negentiende eeuw in Engeland het gebruik van de 'afternoon tea' ontstond, begonnen zilversmeden, linnenfabrikanten en pottenbakkers met de productie van veel verschillende soorten bij deze chique gelegenheden passend theegerei. In de achttiende eeuw bestond een volledig theeservies uit twaalf theekommen of -koppen en schotels, een melkkannetje, suikerpot, spoelkom, lepeldoosje, theepot, theepothouder, theedoos of -blik, heetwaterkan, koffiepot en koffiekopjes en schotels.

In de negentiende eeuw kwamen daar nog gebakschoteltjes en bordjes bij. Zilveren serviezen bestonden uit een theepot, heetwaterkan, suikerpot en melkkannetje, meestal met een bijpassend dienblad. Verder waren er nog theelepels, theezeefjes, theemesjes, gebakvorkjes, gebaksnijders en -schepjes, muffinschaaltjes, tafelkleden met bijpassende servetten, theemutsen en theedoosjes.

Traditioneel Engels theeservies.

THEE-CONSUMPTIE

THEE KOPEN EN BEWAREN

DE GROEIENDE BELANGSTELLING VOOR THEE en de vraag naar goede en bijzondere soorten hebben geleid tot een betere verkrijgbaarheid van een groter assortiment producten. De consument kan zijn thee kopen bij gespecialiseerde detailhandelaren, bepaalde grote winkels (sommige supermarkten en warenhuizen) en postorderbedrijven. De enige manier om de kwaliteit van de producten te beoordelen is ze te proberen. Bevalt het product dat u gekocht hebt, ga dan nog eens terug; zo niet, stap dan over op een andere leverancier.

DETAILHANDEL

Goede detailhandelaren bewaren losse theeblaadjes in grote luchtdichte blikken of potten en wegen ze af voor de klant. Soms worden er vaste hoeveelheden voorverpakt in blikken en doosjes om sneller te kunnen werken en een ruime keus aan cadeauartikelen te bieden. In een goede winkel weet men wat men verkoopt en hoort men uw vragen te kunnen beantwoorden. U moet zo veel of zo weinig kunnen kopen als u wilt en u kunt bij uw eerste bezoek aan een winkel beter een kleine hoeveelheid kopen – 50 gram is al genoeg. Pas als u zeker weet dat de thee u bevalt, kunt u grotere hoeveelheden aanschaffen. Maar omdat thee in

De toonbank in een winkel van Mariage Frères in Parijs.

kleine blikjes sneller uitdroogt, kunt u zelfs dan beter weinig en vaak kopen in plaats van grotere hoeveelheden thuis te laten bederven.

Bekijk de thee voor u hem koopt. De droge blaadjes moeten er mooi uitzien en ongeveer even groot zijn. Ze horen niet dof, maar glanzend te zijn en er mogen geen stukjes tak of twijg tussen zitten. Bij het zetten van de thee moet er een helder aftreksel ontstaan. Zwarte thee hoort een helder, roodgekleurd aftreksel te geven; oolong geeft meestal een oranjebruin tot donkerbruin aftreksel en groene thee hoort na het zetten licht geelgroen te zijn. Een thee van goede kwaliteit geeft nooit een dof, troebel aftreksel.

De smaak moet rond en fris zijn en bij groene thee zeer licht. Afwijkingen, zoals mufheid, futloosheid en sterke smaken die u normaal gesproken niet met thee associeert, wijzen meestal op onzorgvuldig transport of opslag, of aantasting ergens tijdens de tocht van struik naar kopje.

GOEDE SUPERMARKTEN EN WARENHUIZEN

Hier hebt u minder kans een ruim aanbod van bijzondere theesoorten te vinden. Meestal worden er alleen vaste hoeveelheden thee in doosjes, blikken en pakjes verkocht. Bedrijven met een goede naam leveren over het algemeen toch goede thee, dus als u niet tevreden bent, breng de thee dan terug en leg uit wat het probleem is. Hebt u thee gekocht die u

Zwarte thee.

Oolongthee.

Groene thee.

niet lekker vindt, laat hem dan niet op de keukenplank bederven, maar geef hem weg. U kent vast wel iemand die er wel van zal genieten.

POSTORDERBEDRIJVEN

Deze nemen snel in aantal toe en het is de moeite waard verschillende theesoorten van verschillende bedrijven te proberen, tot u een leverancier en een theeselectie vindt die u goed bevallen. Het probleem met kleine bedrijven die onvermengde thee verkopen, is dat ze vrijwel zeker groot moeten inkopen van veilers of plantages en slechts zeer kleine hoeveelheden tegelijk aan hun klanten mogen verkopen. Er is dus er altijd het risico dat de thee bederft voor hij verkocht wordt. Wees voorzichtig, bestel de kleinst beschikbare hoeveelheid tot u zeker bent van de kwaliteit en betrouwbaarheid. En ook hier geldt: bent u niet tevreden, zoek dan een andere leverancier.

Als u uw thee eenmaal gekocht hebt, dient u er goed mee om te gaan. Bewaar hem in een luchtdichte bus (niet van glas) op een koele, droge plek uit de buurt van sterk ruikende etenswaren en andere producten, want thee neemt gemakkelijk andere smaken op.

Op bladzijde 188-189 vindt u een lijst van grote leveranciers.

THEE KIEZEN

Omdat er zo veel verschillende soorten thee te koop zijn, is uw keuze geheel afhankelijk van uw eigen smaak en voorkeur. Mensen die van een zeer lichte, milde thee met weinig cafeïne houden, zullen waarschijnlijk het meest genieten van een oolong of witte thee; voor wie van aromatische, kruidige, verfrissende thee houdt zijn Japanse en Chinese groene theeën een goede keuze; liefhebbers van zwarte thee zullen bekend zijn met de verschillen tussen de lichtere subtiliteit van Chinese bladthee, de sterkere, donkere aftreksels van gebroken thee en stofthee en de robuuste, snelgezette aftreksels van CTC-thee.

Bij het kopen van thee dient u bekend te zijn met de verschillende bladklassen (zie blz. 39) om de beste thee van een bepaalde plantage of streek te kunnen kiezen. Als u bijvoorbeeld een tweede pluk-Darjeeling wilt kopen, is Margaret's Hope FTGFOP (Finest Tippy Golden Flowery Orange Pekoe) bladthee van betere kwaliteit dan Margaret's Hope gebroken-bladklasse TGBOP (Tippy Golden Broken Orange Pekoe).

Goede detailhandelaren en postorderbedrijven moeten in staat zijn de verschillen uit te leggen tussen de theeën die ze verkopen en de klant advies te geven al naar gelang diens voorkeur. De klant heeft misschien niet altijd

Het sorteren van theebladeren in een Chinese fabriek.

bijzonder veel keus tussen verschillende theesoorten van diverse plantages, maar mag aannemen dat de theekoper van elk bedrijf de beste thee heeft gekozen die in een bepaalde tuin of streek wordt geproduceerd.

Ook bij het kopen van thee uit China kan de klant erop vertrouwen dat de theekoper het beste heeft gekozen uit het aanbod van de verschillende provincies.

Als u als theekenner of -liefhebber ooit het geluk hebt naar theeproducerende gebieden te reizen, krijgt u wellicht de gelegenheid theesoorten te proeven die u normaliter nooit geproefd zou hebben – een prachtige ervaring voor de echte theefanaat.

GEAROMATISEERDE THEE EN MELANGES

Gearomatiseerde thee is oolong, groene of zwarte thee die na de bewerking vermengd is met kruiden of specerijen, bloemblaadjes of de etherische olie van vruchten. In al deze gevallen worden de toegevoegde smaakstoffen vermengd met blaadjes van de *Camellia sinensis* of de *Camellia assamica*; deze theeën mogen niet verward worden met de vele verschillende kruiden- of vruchtenaftreksels waaraan geen enkel deel van de theeplant te pas komt.

Al sinds de ontdekking van de thee voegen de Chinezen smaakstoffen aan hun thee toe door het bewerkte blad te vermengen met bloemen of vruchten of door extra ingrediënten toe te voegen aan het kokende water of aan de gezette thee.

Sommige Chinese thee smaakt van nature naar wilde orchideeën, omdat deze bloemen tussen de theestruiken op de plantage groeien. Andere thee draagt de geur van de vruchtenbloesems die tussen de theeplanten bloeien en opengaan wanneer de theestruiken hun nieuwe knoppen en bladeren vormen. Alle theeën nemen gemakkelijk andere smaken op (een goede reden om ze uit de buurt van andere sterke geuren en smaken te bewaren) en groene thee laat zich het best aromatiseren.

De Chinezen gebruiken drie systemen voor het geven van namen aan gearomatiseerde theeën. Ze gebruiken de naam van de toegevoegde bloem, bijvoorbeeld Moli Huacha (jasmijnbloementhee) en Yulan Huacha (magnoliabloementhee); of de naam van de thee die gearomatiseerd wordt krijgt het voorvoegsel Hua (dat bloem betekent), bijvoorbeeld Hualongjing of Hua Oolong; of de thee krijgt de naam van de vrucht waarmee hij gearomatiseerd is, bijvoorbeeld Lizhi Hongcha (zwarte lycheethee).

Europese theemengers gebruiken meestal de naam van de vrucht, bloem of het kruid waarmee de thee wordt gearomatiseerd, bijvoorbeeld mangothee en rozenthee, of ze geven de melange een eigen merknaam, zoals Casablanca, een thee met Marokkaanse munt en bergamot van Mariage Frères .

KLASSIEKE GEAROMATISEERDE THEE

Jasmijn

Jasmijnthee wordt gemaakt in China, met name in de provincie Fujian, en Taiwan. Jasmijnthee is al sinds de Sung-dynastie (960-1279) een van de populairste Chinese theesoorten. De heerlijk geurende bloemen worden 's morgens geplukt en overdag gekoeld, zodat ze niet te snel opengaan. Wanneer de bloemen 's avonds opengaan, worden ze in afgemeten hoeveelheden naast de groene, oolong of zwarte thee gelegd. Het kost de thee ongeveer vier uur om de jasmijngeur op te nemen. Voor gewone klassen wordt de thee uitgespreid en een tweede en derde keer naast de jasmijn gelegd. Voor de betere theeklassen wordt dit uitspreiden en opstapelen soms wel zeven keer in ongeveer een maand gedaan. Daarna worden de bladeren opnieuw gevuurd om eventueel vocht uit de bloesems en de thee te verwijderen en worden de bloesems ofwel verwijderd

Jasmine Pearl. *Lycheethee.*

Orchideeënthee. *Rose Congou.*

of door de thee gemengd zodat die fraai oogt. Soms worden de bloemen niet in stapels naast de thee, maar laag om laag met de thee in kisten gelegd. In sommige fabrieken gebeurt het stapelen en mengen machinaal.

Jasmine Monkey King ruikt heerlijk en geeft een voortreffelijk, subtiel en licht aftreksel. Het is een verfrissende drank voor elk moment van de dag en kan apart worden gedronken of bij kruidig eten en gevogelte.

Jasmine Pearl is niet alleen een genot om te drinken, maar ook om te zien. Grote, prachtig gemaakte parels van lichte thee zijn gemengd met jasmijnbloemen. Het is een thee van zeer goede kwaliteit en met een heerlijk, verfijnd aroma. Hij past goed bij hartig voedsel, maar kan ook apart worden gedronken als een verzachtend digestief.

Er zijn diverse andere jasmijntheeën die de moeite van het proberen waard zijn. Kijk uit naar de groene theeën Jasmine Chung Feng, Jasmine Heung Pin en Jasmine Hubei. Probeer ook eens de lichtgefermenteerde Jasmine Pouchong, de halfgefermenteerde Jasmine Mandarin Oolong, de witte Jasmine Yin Hao Silver Tip en ten slotte Jasmine Yunnan, een zwarte thee.

Lychee

Lizhi Hongcha is een zwarte thee die gearomatiseerd is met het sap van de lychee, een van China's populairste vruchten met een scherpe, bijna citroenachtige smaak. Deze thee kan op elk moment van de dag gedronken worden.

Orchidee

Goede kwaliteit groene thee uit de provincie Guangdong wordt gearomatiseerd met de bloemen van de *Chloranthus spicatus*. Deze thee geeft een helderrood aftreksel met een rijk aroma. Deze verfrissende en verzachtende drank is lekker op elk moment van de dag.

Rose Congou

Meigui Hongcha is een grove, zwarte thee, gearomatiseerd met rozenblaadjes. De thee geeft een licht, goudkleurig aftreksel met een zeer zachte, zoete smaak en geparfumeerd aroma. Kan zonder melk worden geserveerd bij lichte, hartige en zoete maaltijden of kan apart worden gedronken als verfrissend drankje.

Probeer ook eens andere Chinese gearomatiseerde thee met smaken als magnolia of chrysant.

MODERNE GEAROMATISEERDE THEE

Hiervan zijn er tegenwoordig enorm veel soorten te koop. De volgende smaken behoren tot de populairste en succesvolste: zwarte bessen, kersen, citrusvruchten, gember, citroen, mango, groene munt, sinaasappel, passiebloem en rode vruchten.

Ook in Japan wordt gearomatiseerde thee geproduceerd; aanbevolen worden Japanse rozen-Sencha en Sakura, Japanse kersen-Sencha.

KLASSIEKE MELANGES

Alle theepakkers creëren hun eigen melanges voor verschillende smaken en verschillende tijden van de dag. Er bestaan geen vaste regels over welke theeën die melanges bevatten. Er zijn echter enkele klassieke melanges die meestal ongeveer dezelfde mengsels bevatten.

Earl Grey

Van oudsher is dit een melange van Chinese thee of Chinese en Indiase thee, gearomatiseerd met olie van de bergamotcitroen, een soort sinaasappel. De verhalen over de oorsprong van de naam verschillen nogal. Een van deze verhalen vertelt hoe een Engelse diplomaat in China een Mandarijn het leven redde en als dank het recept van deze gearomatiseerde thee kreeg. Hij schonk het weer aan de toenmalige Britse premier Earl Grey (1830-1834). Volgens een ander verhaal was het de premier zelf die de Mandarijn redde en het recept kreeg. Weer een andere legende zegt dat het geschenk de afsluiting vormde van een succesvolle diplomatieke missie. Deze verhalen moeten echter sceptisch bekeken worden. Ten eerste hebben de Chinezen deze gearoma-

Populaire smaken voor gearomatiseerde thee zijn onder andere sinaasappel, citroen, mango, munt, chrysant, roos, kers, framboos, aardbei en gember.

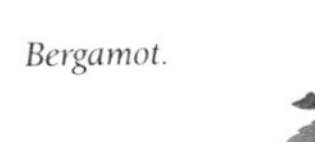

Bergamot.

tiseerde thee zelf nooit gedronken; ten tweede doen de biografieën van de premier en de geschiedenisboeken over de verhoudingen en activiteiten tussen China en Engeland van 1830 tot 1834 (een tijd van vijandigheden die door de opiumhandel veroorzaakt werden) niet de minste melding van dit geschenk; en ten derde beweren de mengers van nu dat Earl Grey naast Chinese thee ook Indiase thee hoort te bevatten, terwijl er in 1830-1834 nog helemaal geen thee geproduceerd werd in India.

Wellicht zijn de verhalen gewoon een slimme verkoopstrategie van de bedenker van het mengsel. Het is in elk geval ongelooflijk populair geworden en er bestaan verschillende soorten waarvoor men gebruik maakt van Chinese thee, Darjeeling, Ceylon, Witpunt en gerookte thee. De hoeveelheid bergamot varieert, wat de kwaliteit van de thee sterk beïnvloedt: te veel geeft het mengsel een zeepachtige smaak, te weinig en je kunt net zo goed gewone thee drinken. De juiste balans geeft een verfrissende thee met een lichte citrussmaak, die goed bij romige gebakjes past.

Yunnan Earl Grey (Roi des Earl Grey) is een Chinese zwarte thee uit Yunnan, gearomatiseerd met bergamot. Hij heeft een heerlijk uitgebalanceerde smaak, is zonder melk het lekkerst en smaakt goed bij vis of gewoon rond theetijd.

English breakfast

Omdat deze thee bedoeld is om te drinken bij een ontbijt met gebakken spek en eieren, of bij sterk smakende maaltijden met bijvoorbeeld gerookte vis, bevatten Engelse ontbijtmelanges gewoonlijk Indiase (meestal Assam), Ceylon- en Afrikaanse theesoorten, hoewel sommigen van mening zijn dat Chinese Keemun de ideale thee is bij geroosterd brood met marmelade.

Irish breakfast

De Ieren houden van oudsher van sterke, donkere thee; deze ontbijt melanges bestaan uit rijke, moutige Assamtheeën, soms vermengd met Afrikaanse en Indonesische thee.

Afternoon blend of middagmelanges

Dit zijn meestal lichtere theeën, vermengd met Chinese thee, Darjeeling, Formosa en lichte Ceylon en soms een vleugje jasmijn of bergamot.

Russische karavaan

De Russen dronken deze Chinese thee, die vanaf de Chinese grens per kameel werd vervoerd. De melanges worden gemaakt van oolong of zwarte thee uit China of Formosa, met een vleugje van de rooksmaak van Lapsang Souchong of Tarry Souchong.

ZELF MENGEN

Voorkeuren voor thee zijn zeer persoonlijk en veel theedrinkers stellen thuis hun eigen melanges samen om hun eigen unieke smaak te creëren. Succesvolle melanges zijn het resultaat van experimenteren en proeven. Een kleine hoeveelheid kwaliteitsthee of enkele blaadjes van een gearomatiseerde thee zoals jasmijn of Tarry Souchong kan van een gewone thee iets heel bijzonders maken.

Voeg voor een robuuste ontbijtthee eens wat Assam toe aan Ceylon, voor een brunch- of lunchthee wat Lapsang aan Assam, of voor een lichte en verfrissende middagmelange enkele blaadjes jasmijn aan Chinese zwarte thee. Er zijn eindeloos veel mogelijkheden.

Experimenteer eens en creëer ongewone en bijzondere melanges.

THEEZAKJES

Naar men zegt is het theezakje afgeleid van de kleine zijden monsterzakjes die in 1908 door de New Yorkse thee-importeur Thomas Sullivan naar potentiële klanten werden gestuurd. De zijde werd later vervangen door gaas en nog later door papier. In Groot-Brittannië begon de markt voor theezakjes in het begin van de jaren '60 te groeien, toen ongeveer 5 procent van alle thee met zakjes werd gezet. In 1965 was het gebruik al gestegen tot 7 procent en in 1993 bestond 85 procent van de totale Britse theeconsumptie uit zakjes. In de V.S. wordt 65 tot 70 procent van de geconsumeerde thee met zakjes gezet. Ook in Nederland heeft men een voorkeur voor theezakjes, maar wereldwijd is er een voorkeur voor losse thee en wordt slechts 16 procent van de thee gezet met zakjes.

Het papier dat gebruikt wordt voor theezakjes wordt gemaakt van materialen als manillahennep, houtpap en rayon. Moderne machines kunnen ongeveer 2000 zakjes per minuut produceren in allerlei soorten en maten: vierkant, rond of piramidevormig met een of twee vakjes, dichtgebrand of -geniet, met of zonder label.

THEEZAKJES OF LOSSE THEE

De laatste jaren is de kwaliteit van thee in theezakjes in sommige gevallen beduidend verbeterd, maar kopers moeten weten dat er twee hoofdsoorten bestaan. De eerste is de standaard, alledaagse theemelange die gemengd, verpakt en in supermarkten verkocht wordt en voor de echte kenner een minderwaardig kopje thee oplevert. Daarnaast produceren sommige theepakkers en -mengers bijzondere thee van goede kwaliteit, die ze verkopen via grote winkels, in hun eigen detailhandels of per postorder (en soms langs al deze wegen tegelijk). De reden dat deze bedrijven zowel zakjes als losse thee verkopen is dat ze beseffen dat zelfs een echte theeleut dan eens behoefte heeft aan het gemak van het theezakje en dan weer aan losse kwaliteitsthee.

Het Amerikaanse Stash Tea biedt een grote selectie thee, zowel los als in theezakjes.

THEEZAKJES

De voordelen van theezakjes

- erg handig als u slechts één kopje thee zet
- snel en gemakkelijk theezetten
- thee is gemakkelijk uit het aftreksel te verwijderen zodra de thee de gewenste sterkte heeft
- geen gevaar van verstopping door losse blaadjes
- bijzonder handig voor het zetten van grote hoeveelheden thee voor veel personen

De nadelen van theezakjes:

- de inhoud bestaat meestal uit kleinere stukjes blad, die een sterker, sneller aftreksel geven maar de subtiliteit en fijne kwaliteit van grovere, losse thee missen
- heezakjes kunnen snel te veel looizuur afgeven, waardoor de thee wranger wordt
- theezakjes verliezen hun smaak en kwaliteit veel sneller dan losse thee; losse thee blijft maximaal 2 jaar goed en theezakjes slechts 4-6 maanden

Omdat theezakjes over het algemeen een minder goed aftreksel geven dan losse thee, kunt u het best theezakjes voor noodgevallen in huis hebben; gebruik theezakjes wanneer u thee zet voor mensen die het verschil niet kennen tussen alledaagse thee en kwaliteit, of wanneer u weinig tijd hebt. Theezakjes zijn ook handig voor het zetten van thee voor zeer grote groepen, hoewel dit ook uitstekend gaat met een goede kwaliteit losse thee: zet de thee met een filter in een grote theepot en schenk hem dan over in een aantal geschikte schenkpotten.

THEEWATER

Het uiterlijk en de smaak van een kopje thee worden beïnvloed door het water dat gebruikt is. De Chinese schrijver Lu Yu raadde bronwater aan. Tegenwoordig maken de meeste mensen gebruik van leidingwater, waarvan de kwaliteit, het natuurlijke mineralengehalte en andere bestanddelen zoals fluoride en chlorine per land of per streek kunnen variëren. In Engeland produceren sommige theemengers speciale melanges voor bepaalde gebieden, zodat het plaatselijke water het beste uit de thee haalt.

Als thee wordt gezet met gedistilleerd, zacht water of permanent hard water (dat calciumsulfaat $CaSo_4$ bevat), wordt het aftreksel mooi helder. Wordt er tijdelijk hard water (dat calciumcarbonaat $CaCo_3$ bevat) gebruikt, dan kan de thee er dof uitzien en ontstaat er al na korte tijd een vliesje op het oppervlak. Dit komt door het oxideren van theedeeltjes, veroorzaakt door de aanwezigheid van de kalk- en bicarbonaat-ionen in het water. Wilt u vliesvorming tegengaan, gebruik dan geen tijdelijk hard water of giet het voor het koken door een waterverzachtend filter.

Het toevoegen van zuur aan thee helpt de bicarbonaat-ionen uit te schakelen. Dit is de reden dat er geen vlies ontstaat wanneer u citroen toevoegt. Ook suiker vermindert de vliesvorming, maar de suiker komt de smaak van de thee niet ten goede en wordt afgeraden. De toevoeging van melk aan thee die met hard water gezet is kan eveneens helpen, doordat de melk de temperatuur van de thee verlaagt en zo de oxidatie vermindert die het vlies veroorzaakt. Onderzoek wijst echter uit, dat melk de hoeveelheid vlies op het oppervlak van de thee juist vergroot, hoewel minder vette melk slechts half zoveel vlies vormt als volle, gehomogeniseerde melk.

Een aftreksel hoort helder en zuiver te zijn.

Thee met melk

Wanneer en waarom het Engelse gebruik om thee met melk te drinken is ontstaan is niet geheel zeker. Het lijkt te zijn begonnen in de tijd dat er meer groene dan zwarte thee werd gedronken en wellicht verzachtte de melk de bittere, scherpe smaak iets. Misschien was het een gevolg van het contact van kooplui met de Mongoliërs of de vroege Mantsjoes, die ook melk in hun thee deden. Of wellicht deed men wat melk in de Chinese theekommen die men in de zeventiende en achttiende eeuw gebruikte voor de hete thee om te voorkomen dat het fijne porselein zou barsten. Thomas Garraway's reclamepamflet uit 1660 beweert dat thee "bereid met melk en water de innerlijke mens versterkt." Vanaf het eerste begin werd er dus soms melk toegevoegd en in de achttiende eeuw werd het in Engeland heel gewoon om thee met melk te drinken. De Nederlanders hadden echter dezelfde contacten met dezelfde handelaren, maar gebruiken geen melk in hun thee. Een Nederlandse reiziger, Jan Nieuwhoff, proefde thee met melk tijdens een banket dat in 1655 door de Chinese keizer werd gegeven voor de Nederlandse ambassadeur en zijn personeel, maar ook toen gingen de Nederlanders geen thee met melk drinken. Ook de Fransen toonden geen voorkeur voor thee met melk; de markiezin de la Sablière was in 1680 beslist een uitzondering.

De gewoonte om thee met melk te drinken had zich aan het eind van de zeventiende eeuw al naar alle uithoeken van Engeland verspreid en bereikte ook de Engelse koloniën. Tegenwoordig is het merendeel van de voor de Britse markt gemaakte melanges bedoeld om met melk te worden gedronken en de producenten houden hier rekening mee bij de productie van thee voor de export naar Groot-Brittannië. Het toevoegen van melk aan een kopje thee is echter een geheel persoonlijke keuze, hoewel melk de smaak van sommige theeën beslist niet ten goede komt – te weten alle witte en groene thee, pouchongs, oolongs, de meeste Chinese zwarte theeën (met uitzondering van Yunnan), eerste pluk-Darjeelings, gearomatiseerde thee en sommige lichtere zwarte theesoorten.

Moet de melk of de thee eerst worden ingeschonken? Van oudsher wordt de melk als eerste ingeschonken. De melk vermengt zich in elk geval wel beter met de thee wanneer de thee op de melk wordt geschonken. Het officiële wetenschappelijke standpunt is dat het beter is de melk eerst in te schenken omdat die de eerste thee die erbij geschonken wordt wat afkoelt, waardoor de kans op schiften, wat een onaangename smaak kan veroorzaken, afneemt. Anderen voegen de melk liever achteraf toe en beweren dat het zo gemakkelijker is de juiste hoeveelheid van beide vloeistoffen te bepalen. Er zijn echter geen vaste regels, het gaat om de persoonlijke voorkeur en men zal het er wel nooit over eens worden.

THEE MET SUIKER

De gewoonte om suiker in de thee te doen ontstond in Europa aan het eind van de zeventiende eeuw en werd in Engeland algemener dan elders. Dit gebruik is waarschijnlijk niet met de eerste geïmporteerde thee uit China meegekomen, want de Chinezen dronken hun thee zelden met suiker. Alleen in bepaalde streken voegde men suiker toe, met name in het Boheagebergte, waar men gele kandij door de drank roerde.

De Britse voorkeur voor zoete drankjes groeide zozeer dat aan het eind van de achttiende eeuw de Britse suikerconsumptie tien maal groter was dan in andere Europese landen. Theelepels, lepeldoosjes, suikerpotten en suikertangen werden een vast onderdeel van het theegerei en het gebruik werd door emigranten meegebracht naar Noord-Amerika.

Theespecialisten bevelen aan om thee zonder suiker te drinken omdat het de smaak van de thee overheerst, maar veel mensen gebruiken nog steeds een of twee theelepels suiker in hun thee.

EEN POT THEE ZETTEN

Wanneer er heet water bij groene thee wordt geschonken of kokend water bij oolong of zwarte thee, komen er stoffen uit de thee vrij (cafeïne, polyfenolen en diverse vluchtige bestanddelen, zoals etherische olie) met een concentratie die naar verloop van tijd afneemt.

Om de smaak van de thee zo goed mogelijk naar voren te laten komen is het belangrijk dat er genoeg zuurstof in het theewater zit. Zwarte thee en oolong moeten gezet worden met water dat net kookt, zodat het de juiste temperatuur heeft (95 °C), maar nog wel zijn zuurstof vasthoudt. Witte en groene thee kunnen het best gezet worden met water tussen de 70 en 95°C. Zie voor temperatuuradviezen de afzonderlijke aanwijzingen in de theecatalogus in het tweede deel van het boek.

Hoewel er enkele basisregels bestaan voor het zetten van de perfecte pot thee, moeten deze wel worden aangepast aan de soort thee en het gerei dat u gebruikt. De basisregels worden op de volgende bladzijden uitgelegd.

DE GULDEN REGELS

1 Gebruik losse thee die zorgvuldig bewaard is en een geschikte theepot. Vul de ketel met koud water uit de kraan of filterkan en breng dit aan de kook.

2 Giet wanneer het water bijna kookt een beetje in de theepot, spoel het rond en gooi het weg.

3 Schep 1 theelepel thee per persoon (deze hoeveelheid varieert naar gelang de soort thee en de eigen smaak) in de pot (of in een filter in de pot).

4 Neem de ketel van het vuur en giet het kokende water op de blaadjes. Laat het water niet te lang doorkoken. Gebruik voor het zetten van witte of groene thee nooit kokend water, maar water met een temperatuur tussen 70 en 95 °C.

5 Doe de deksel op de pot en laat de thee het juiste aantal minuten trekken, afhankelijk van het soort blad. Gebruikt u een filter, neem dit dan uit de pot zodra het aftreksel de juiste sterkte heeft. Of schenk de thee in een tweede, verwarmde pot. Dit scheidt de vloeistof van de blaadjes en voorkomt een bittere smaak. Zie voor de hoeveelheden thee, watertemperaturen en trektijden de aanwijzingen in de theecatalogus.

DE TRADITIONELE THEEPOT

Volg voor het zetten van een pot thee op traditionele wijze de gulden regels op blz. 76.

Wanneer u thee van goede kwaliteit gebruikt, moet het mogelijk zijn een goede tweede pot te zetten door kokend water op de gebruikte blaadjes te gieten. Giet de thee zodra hij de juiste sterkte en smaak heeft in een porseleinen theekopje.

Sommige mensen verwarmen hun kopje graag eerst voor door er kokend water in te gieten, het kopje even te laten staan en hem dan te legen voor ze de thee erin schenken. Zo blijft de thee zo lang mogelijk op temperatuur. Als u thee zet van losse thee, gebruik dan bij het inschenken een theezeefje om de blaadjes op te vangen. Bij gebruik van een theepot met ingebouwd filter is een theezeefje niet meer nodig.

Engels porselein, ca. 1840.

THEE ZETTEN VAN GEPERSTE THEE

Breek iets minder dan 1 theelepel per persoon af en doe dit in een voorverwarmde pot, het filter in een voorverwarmde pot of een voorverwarmde filtermok of -kop. Voeg kokend water toe en laat dit circa 5 minuten trekken. Zeef het mengsel boven een kopje of kom of neem het filter uit de pot en schenk in.

WELKE THEEPOT

Bij Chinese zwarte en groene thee wordt een Chinese Yi-Hsingt-heepot verondersteld de smaak het best te doen uitkomen, maar gebruik elke pot slechts voor een soort thee, omdat het poreuze aardewerk een laagje krijgt dat een smaak aan de thee toevoegt.

Tin, gietijzer, zilver en terracotta zijn met name geschikt voor sterke thee, zoals Afrikaanse thee, Ceylon en Assam. Porselein is ideaal voor lichtere thee, zoals Darjeeling, oolong en groene thee. U kunt het beste meerdere potten in huis hebben: een pot voor ongerookte zwarte thee, een voor gerookte zwarte thee, een voor gearomatiseerde thee en een voor groene thee.

Chinese Yi-Hsing-theepot van steengoed.

DE THEEPOT SCHOON-MAKEN

Stop een theepot nooit in een afwasmachine of in een sopje. Leeg de pot, spoel hem om met schoon water en laat hem ondersteboven uitlekken. Droog de buitenkant af, maar niet de binnenkant. Wilt u het looizuur uit een glazen, geglazuurde of zilveren pot verwijderen, vul hem dan met een oplossing van 2 eetlepels zuiveringszout in kokend water en laat hem een nacht staan. Leeg de pot de volgende ochtend, spoel hem grondig en laat hem drogen.

Een Yi-Hsing-theepot mag van binnen nooit gespoeld of gereinigd worden. Het poreuse aardewerk van de pot krijgt een laagje dat belangrijk is voor de smaak van de thee.

CAFEÏNEVRIJE THEE

Wie liever geen cafeïne gebruikt kan cafeïnevrije thee drinken. Dit product is sinds de jaren '80 door verbeteringen in de productietechnologie vrijwel overal verkrijgbaar. Er worden drie methoden gebruikt om thee cafeïnevrij te maken en de wetenschappers en fabrikanten zijn het er nog steeds niet over eens welke hiervan om gezondheids- en economische redenen de beste is. Onderzoek gaat door en de voortdurende vorderingen leveren steeds betere producten op.

Kooldioxide Een natuurlijk en goedkoop middel. Gemakkelijk uit het product te halen nadat de cafeïne verwijderd is. In kleine hoeveelheden fysiologisch onschadelijk.

Methyleenchloride Het meestgebruikte middel voor het cafeïnevrij maken van thee en koffie; het is niet te duur en gemakkelijk weer uit het product te verwijderen. Er geldt een wettelijke beperking van vijf op een miljoen deeltjes voor achtergebleven restanten in de thee. In de VS is de import van alle producten met deze stof verboden.

Ethylacetaat Dit is een vrij duur middel dat echter moeilijk uit het product te halen is na verwijdering van de cafeïne. Thee bevat van nature al lichte sporen van ethylacetaat en volgens sommigen is het daarom het beste middel.

Twinings' cafeïnevrije thee.

INSTANTTHEE

Het enige voordeel van instantthee is dat het snel bereid kan worden. Net als koffieliefhebbers niets van oploskoffie willen weten, peinzen echte theekenners er niet over instantthee te drinken. Omdat de voorbereiding, het zetten en het theegerei evenzeer bij het genieten van thee horen als de thee zelf, is het openen van een pot en het maken van een kop thee met een schepje korrels in plaats van echte thee voor velen heiligschennis.

Recente technologische vorderingen hebben echter tot doel de smaak en kwaliteit van instantthee te verbeteren.

De fabrikant laat eerst de theebladeren trekken om alle stoffen eraan te onttrekken die nodig zijn voor een kop thee. Vervolgens worden blaadjes en vloeistof gescheiden, de blaadjes weggegooid en de vloeistof verder behandeld om een vast, droog product te verkrijgen. Dit wordt gedaan volgens drie methoden: verdampen van water door hitte; deels bevriezen van het aftreksel, waarna de ijsdeeltjes worden verwijderd; filteren door membranen die het water doorlaten, maar de vaste stoffen vasthouden.

De vaste stoffen worden gedroogd en vochtvrij verpakt –meestal in potten– om het product te beschermen op weg naar de consument.

KANT-EN-KLARE THEE

In 1992 bracht de Amerikaanse theeindustrie zijn eerste kant-en-klare theeën op de markt. De voornaamste theepakkers begonnen samen met grote frisdrankfabrikanten aan de productie van diverse drankjes op theebasis: met of zonder koolzuur, met of zonder toegevoegde smaakstoffen (zoals citroen, framboos of perzik), gezoet of ongezoet, in flessen, in blikjes of in pakken.

Deze producten zijn nu verkrijgbaar in supermarkten en winkels in heel Europa en de VS. Sommige van deze kant-en-klare theedrankjes smaken echt naar thee, andere (vooral de koolzuurhoudende soorten) smaken alleen maar naar suiker en citroen en hebben weinig meer te maken met de geliefde drank van de echte theeleut.

In de VS, waar ijsthee altijd al populairder was dan warme thee, spreken deze trendy drankjes vooral de jonge consument aan.

In Japan bieden straatmachines en supermarkten een nog groter aanbod van ingeblikte kant-en-klare thee: warm of koud, groen of zwart, met of zonder melk, met of zonder fruitsmaak, gezoet of ongezoet, Darjeeling of Assam. Blijkbaar zijn de Japanse fabrikanten van deze theeën erin geslaagd een kwaliteitsproduct te produceren dat aanslaat bij een groot publiek.

IJSTHEE

Het drinken van ijsthee is begonnen tijdens de World Trade Fair van 1904 in Saint Louis. In die tijd werd er in de VS voornamelijk groene thee uit China gedronken en ter promotie van de Indiase zwarte thee organiseerde een groep Indiase theepakkers een speciaal theepaviljoen, waar Indiërs hete thee schonken onder leiding van een Engelsman genaamd Richard Blechynden. Tijdens de beurs rezen de temperaturen de pan uit. De Britten hadden de dorstlessende eigenschappen van thee altijd al erkend, maar de Amerikanen negeerden de drank volledig en gingen op zoek naar koude drankjes. In een dappere poging zijn product te verkopen, vulde Blechynden glazen met ijsblokjes en schonk de thee erop. Toen het nieuws zich verspreidde, kwamen de klanten massaal naar het paviljoen om de ideale dorstlesser te kopen. Zo ontstond de ijsthee en in 1992 dronken de Amerikanen maar liefst 1,6 tot 1,8 miljard glazen ijsthee per jaar. Meer dan 80 procent van alle thee die in de VS wordt gedronken wordt met ijs geserveerd en bijna 80 procent van de huishoudens drinkt ijsthee. In Groot-Brittannië is ijsthee echter nooit aangeslagen en wordt het drankje alleen op extreem hete dagen gedronken met wat citroen en munt of bernagie.

Neem voor het maken van ijsthee Ceylon of Chinese Keemunthee. Gebruik twee keer zoveel thee als normaal en zet de thee zoals gewoonlijk in een theepot. Zeef hem en voeg suiker naar smaak toe. Vul een glas met veel ijs en schenk de hete thee erop. Voeg enkele gekneusde muntblaadjes of bernagie en een schijfje citroen of sinaasappel toe.

Als alternatief kunt u de dubbelsterke thee zetten, zeven, zoeten, enkele uren of een nacht in de koelkast zetten en hem dan op ijs schenken en garneren.

IJSKOUDE MUNTTHEE

Voor 4 personen

4 takjes verse munt
vers sap van 2 sinaasappels en 4 citroenen
1 liter versgezette sterke Ceylonthee
1 klein stukje verse gemberwortel, fijngesneden
½ liter koud water
suiker naar smaak

Kneus de munt en doe hem in een glazen kan. Giet het vruchtensap en de gezeefde thee erop. Voeg gember, suiker en water toe. Zeef het mengsel en zet het ten minste een uur in de koelkast. Serveer de ijsthee met flink veel ijs en garneer hem met muntblaadjes en een schijfje sinaasappel.

IJsthee met munt.

THEE BIJ DE MAALTIJD

Thee is een fijnproeversdrank, die uitstekend past bij alle voedselsoorten. Net zoals een wijn wordt gekozen om de smaak van bepaalde soorten voedsel te accentueren, kan ook thee worden afgestemd op bepaalde zoete of hartige onderdelen van het menu. Voor een goede combinatie van smaken en een waarlijk verrukkelijke gastronomische ervaring moeten verschillende soorten thee zorgvuldig worden gekozen. De volgende tabel geeft aan welke thee bij welke maaltijden of afzonderlijke etenswaren past.

Gerookte zalm past uitstekend bij Darjeeling of Lapsang Souchong.

Voedsel	Geschikte thee
Ontbijt (brood, kaas, jam, enzovoort)	Yunnan, Ceylon, Indonesische, Assam, Dooars, Terai, Travancore, Nilgiri, Kenya, Darjeeling
Engels ontbijt (geroosterd brood, eieren, gerookte vis, ham, spek, enzovoort)	Ceylon, Kenya, Afrikaanse melanges, Assam, Tarry Souchong, Lapsang Souchong
Lichte hartige maaltijden	Yunnan, Lapsang Souchong, Ceylon, Darjeeling, Assam, groene theeën, oolongs
Gekruid voedsel	Keemun, Ceylon, oolongs, Darjeeling, groene theeën, jasmijn, Lapsang Souchong
Sterke kaassoorten	Lapsang Souchong, Earl Grey, groene theeën
Vis	Oolongs, gerookte theeën, Earl Grey, Darjeeling, groene theeën
Vlees en wild	Earl Grey, Lapsang Souchong, Kenya, jasmijn
Gevogelte	Lapsang Souchong, Darjeeling, oolongs, jasmijn
Theetijd	Alle theeën
Na de maaltijd	Witte en groene theeën, Keemun, oolongs, Darjeeling

EEN 'TEA PARTY' ORGANISEREN

De middagthee is de perfecte gelegenheid voor een ontspannen conversatie in een stijlvolle, beschaafde, maar toch informele sfeer. Het is de ideale tijd van de dag om bij te kletsen met vrienden of kennis te maken met nieuwe buren en gastvrijheid en vriendschap te bieden onder het genot van een verkwikkend kopje thee. Dit kan heel eenvoudig met een pot thee en een plakje cake of heel uitgebreid met hartige en zoete hapjes in drie gangen. Nestel u 's winters in gemakkelijke stoelen in de zitkamer of serre; neem in de zomer een dienblad of theewagen mee de tuin in.

Nodig uw gasten per telefoon uit of stuur ze enkele dagen tevoren een kaartje. Bereid op de dag zelf zo veel mogelijk van tevoren voor, zodat u ontspannen bent wanneer de gasten arriveren.

Vul de fluitketel met koud kraanwater, maar kook dit pas als u de thee werkelijk gaat zetten. Kies een theepot, een warmwaterkan (om te sterke thee te verdunnen) en eventueel een theemuts. Bedenk welke thee u wilt serveren en zet deze klaar. Leg zo nodig een theezeefje klaar en een spoelkom om het bezinksel uit de lege kopjes te verwijderen.

Doe wat suiker of suikerklontjes met een lepel of tang in een pot, vul een kannetje met melk en leg op een bordje schijfjes citroen.

Maak alle hapjes klaar en zet ze afgedekt in de koelkast of op een koele plek. Als u scones of broodjes wilt serveren zult u schaaltjes boter, jam en slagroom nodig hebben. Zorg voor een ruime keuze aan fijne sandwiches, muffins, broodjes, scones, cake, gebakjes en koekjes en schik ze op borden of gebakschalen. Dek in de zitkamer de tafel of het theemeubel met een fijn kanten of linnen kleed. Als u buiten wilt zitten, zet dan een tafel met stoelen klaar en dek de tafel met een mooi tafelkleed.

Zet dan voor elke gast het volgende klaar:

- kop en schotel
- theelepel
- gebakbordje
- mes of gebakvorkje, afhankelijk van de hapjes
- klein linnen servet

Als alle voorbereidingen zijn getroffen, kunt u zichzelf feestelijk aankleden. Verwelkom uw gasten en wijs ze hun plaatsen. Wacht tot iedereen gemakkelijk zit, ga dan naar de keuken en zet het water op. Breng terwijl het water opstaat het eten en alles wat u verder nodig hebt naar de zitkamer of tuin. Zet de thee zodra het water kookt.

Zorg er in de zitkamer voor dat elke gast een klein bijzettafeltje heeft om zijn bord, kop en schotel op te zetten. Laat bordjes en servetten rondgaan en geef iedereen een klein mesje of gebakvorkje, afhankelijk van datgene wat u serveert.

Vraag elke gast of hij melk of citroen in de thee gebruikt. Schenk iedereen een kopje thee in, maar schenk de melk, indien gewenst, als eerste in. Breng de gasten hun thee en bied hen eventueel suiker en citroen aan.

Dien de hapjes op; eerst de sandwiches, als u die serveert. Laat ze een tweede keer rondgaan voor u overgaat op zoete hapjes, zoals scones of gebakjes. Schenk zo nodig thee bij en giet het bezinksel uit de kopjes in de spoelkom voor u opnieuw inschenkt. Zet eventueel nog een verse pot thee als de eerste te lang gestaan heeft of op is.

THEE EN GEZONDHEID

Sinds de ontdekking van de thee zijn er allerlei medicinale eigenschappen aan toegeschreven en het is interessant dat modern onderzoek uitwijst dat veel van de dingen die door de eeuwen heen beweerd zijn, werkelijk waar zijn. De meest voor de hand liggende deugd van thee is dat het een geheel natuurlijk product is zonder kunstmatige kleurstoffen, conserveringsmiddelen en smaakstoffen (behalve natuurlijk gearomatiseerde thee met toegevoegde bloemen-, vruchten- of kruidensmaken). Zonder toevoeging van melk of suiker bevat thee verder vrijwel geen calorieën. Thee kan bovendien een belangrijke rol spelen bij het op peil houden van de waterhuishouding van het lichaam.

Omdat thee van nature fluoride bevat, wordt het tandglazuur versterkt en wordt plakvorming beperkt, doordat de hoeveelheid bacteriën in de mond gereguleerd worden. Zo helpt het drinken van thee het tandvlees gezond te houden.

Onderzoek bij dieren toont aan dat de consumptie van zowel groene als zwarte thee de kans op kanker kan verkleinen, met name long-, darm- en huidkanker. Men vermoedt dat bepaalde bestanddelen van zwarte thee werken als anti-oxidatiemiddel, wat de vorming van kankerverwekkende stoffen in de lichaamscellen helpt voorkomen.

Reclameprent voor Japanse groene thee.

Verschillende recente onderzoeken wijzen op mogelijke werkingen tegen hartziekten, beroertes en trombose. Men vermoedt dat dit komt doordat de cafeïne het hart en de bloedsomloop stimuleert en zo de wanden van de bloedvaten soepel houdt, waardoor de kans op aderverkalking afneemt. Ook denkt men dat de polyfenolen in thee de opname van cholesterol in het bloed helpen voorkomen en de vorming van bloedstolsels tegengaan.

De cafeïne in thee kan uw concentratie, alertheid en nauwkeurigheid vergroten en de smaak- en reukzin versterken. Tevens stimuleert cafeïne de spijsverteringssappen en de stofwisseling, inclusief nieren en lever, waardoor giftige en andere ongewenste stoffen uit het lichaam worden verwijderd.

GEBRUIKEN EN CEREMONIEËN

CHINA

Hoewel China grote hoeveelheden zwarte thee voor de export produceert, zijn groene en gearomatiseerde thee in China zelf het populairst. De wijze van zetten verschilt per streek en op sommige plaatsen gebruikt men bijna dezelfde theepotten als in het Westen. In andere streken bestaat het theeservies uit een theepotje (de beste zijn van Yi-Hsing-aardewerk) en kleine kommetjes. De traditionele manier voor het zetten van één kop thee is door de blaadjes te laten trekken in een *guywan*.

Thuis biedt men de gasten altijd thee aan en in restaurants is een pot thee het eerste –als verkwikking voor de maaltijd– en het laatste –om de spijsvertering na de maaltijd op gang te helpen– dat de gasten geserveerd krijgen. In fabrieken en kantoorgebouwen staan op elke verdieping dampende ketels water en in elk bureau zijn wel theezakjes te vinden. Veldarbeiders dragen kalebassen of kruiken thee bij zich om tijdens het werk te drinken. De meeste traditionele theehuizen zijn in de jaren '20 en '30 gesloten, omdat theedrinken tijdens de Culturele Revolutie als 'onproductieve vrijetijdsbesteding' beschouwd werd. Tegenwoordig zijn de beroemdste theehuizen in ere hersteld en hebben ze veel van hun vroegere populariteit herwonnen.

Het Theehuis in Shanghai.

Voorbereiding op de Japanse theeceremonie.

JAPAN

In Japan is de meestgedronken thee nog steeds de traditionele groene bladthee (met name 's morgens en als digestief na de maaltijd). Op de vele theescholen leren duizenden mannen en vrouwen de theeceremonie uitvoeren. Er verandert echter wel het een en ander en veel mensen gaan over op zwarte thee, die naar Brits voorbeeld met melk gedronken wordt. De opkomst van de zwarte-theeconsumptie begon zo'n tien jaar geleden en is nu al flink toegenomen: in hotels en winkelcentra in de grote steden zijn Westerse theesalons geopend en er verschijnen verschillende, op thee gebaseerde warme en koude dranken op de markt met fruit, vruchtensap, room, kruiden of warme melk. In heel Japan verzorgen theedocenten lezingen en colleges waar geïnteresseerde theedrinkers zwarte thee correct leren zetten en op traditionele Engelse wijze leren serveren met de beroemde bijbehorende hapjes.

TIBET

In Tibet is thee een heilig offer en wordt de thee met de grootste zorg bereid. Voor het maken van de zoutige groene thee wordt een stukje van een theetegel vermalen en enkele minuten in water gekookt, waarna de vloeistof wordt gezeefd boven een ketel en vermengd wordt met geitenmelk of jakboter en zout. Deze traditionele Tibetaanse theedrank wordt *tsampa* genoemd. De thee wordt warmgehouden in een ketel op het vuur en geserveerd met een platte gerst- of tarwekoek.

INDIA

Thee is in India een zeer populaire drank, die soms op Engelse wijze wordt geserveerd, en soms wordt gekookt met water, melk en kruiden. Op straat wordt zeer sterke thee met veel suiker en melk verkocht en in de overvolle treinen en op stations wordt de thee warmgehouden in grote ketels en geserveerd in kleien kopjes die na gebruik worden stukgemaakt en weggegooid.

TURKIJE

In tegenstelling tot wat de meesten denken is thee hier populairder dan koffie. Hij wordt uit het zicht in de keuken gezet. Het sterke, zwarte brouwsel wordt in kleine, bolle glaasjes gezeefd en de hele dag door thuis, in restaurants of aan zakenrelaties geserveerd. In sommige huishoudens staat er altijd een pot thee op het vuur, waaraan voor het opdienen vers, heet water wordt toegevoegd. Thee neemt in Turkije zo'n belangrijke rol in het huishouden in dat vrouwen zich ervan vergewissen dat haar aanstaande schoondochter goed thee kan zetten.

IRAN EN AFGHANISTAN

Thee is in deze beide landen de nationale drank. Als dorstlesser drinkt men groene thee en als verwarmende drank zwarte thee, beide met veel suiker. Thuis en in theehuizen zitten theedrinkers in kleermakerszit op matten op de vloer en drinken ze uit felgekleurde porseleinen koppen.

RUSLAND

De Russen dronken al in de zeventiende eeuw thee, maar de drank werd pas echt populair aan het begin van de negentiende eeuw. In Rusland drinkt men zowel groene als zwarte thee zonder melk uit glazen, vaak met een metalen oor. Voor een Rus van zijn thee drinkt, stopt hij een klontje suiker of een lepel jam in zijn mond. De samovar –nog steeds een belangrijk onderdeel van het Russische huishouden– werd rond 1730 populair en is naar men zegt afgeleid van een door de Mongoliërs gebruikt komfoor. Onder de metalen ketel van de samovar brandt een vuur en loopt een buis door het midden omhoog om het water warm te houden. Bovenin de theepot wordt zeer sterke thee gezet, die verdund wordt met heet water uit een kraantje aan de zijkant. De samovar houdt de thee urenlang warm en zorgt voor een ruime voorraad voor de hele familie en de gasten.

Russische samovar.

EGYPTE

De Egyptenaren zijn vervente theedrinkers en drinken hun thee het liefst sterk, zoet en zonder melk. In cafés worden glazen thee op een blaadje geserveerd met een glas water, suiker, een lepel en soms wat muntblaadjes.

MAROKKO

De glazen thee worden geserveerd op zilveren dienbladen. In Marokko schenkt de man de thee in; hij houdt de langgetuite pot tijdens het schenken hoog boven het glas, zodat elk glas thee een beetje schuimt. De thee wordt vaak geserveerd met snoepgoed.

Theeschenker in Marokko.

NIEUW-ZEELAND EN AUSTRALIË

Hier wordt de thee zowel thuis als in restaurants op Britse wijze geserveerd, maar de Australische rimboebewoner maakt zijn eigen unieke brouwsel in de 'billycan,' een soort kampeerpot.

Net als in veel Europese landen heeft de stijgende consumptie van koffie en frisdrank een geleidelijke afname van de theeconsumptie veroorzaakt. In Australië bereikte de import van thee in 1967 een hoogtepunt van 40785,4 ton, maar is sindsdien gedaald tot ruim 23.148,5 ton per jaar – toch nog ruim 14 kg per persoon.

GROOT-BRITTANNIË

Ondanks de concurrentie van koffie en frisdrank is thee nog steeds de populairste Britse drank, hoewel de consumptie iets afneemt. De gemiddelde Brit drinkt 3,32 koppen thee per dag (3,88 koppen in 1984). Sommige mensen beginnen elke dag met ten minste een kop thee en drinken ook thee op het werk, in de ochtend- of middagpauze en soms tijdens de lunch. De middagthee vormt nog steeds een belangrijk onderdeel van het Britse leven. Slechts weinig mensen drinken 's avonds thee en de UK Tea Council is kortgeleden met de horeca een promotiecampagne begonnen om restaurants te stimuleren thee aan te bieden als gezond alternatief voor koffie na de maaltijd. Sinds het begin van de jaren '80 is er een hernieuwde golf van belangstelling voor de ceremoniële Afternoon Tea en doen theewinkels, theesalons en theefoyers in restaurants goede zaken. Zowel buitenlandse bezoekers als Britten genieten van de elegantie en stijl van thee en theetijd.

Toch wordt er in veel Britse huishoudens thee gezet met theezakjes, die volgens kenners vrij smakeloze thee opleveren. Er zijn echter nog genoeg mensen in Groot-Brittannië die weten hoe je een voortreffelijk kopje thee hoort te zetten en serveren en hoewel de consumptie op een laag pitje staat, is er een groeiende belangstelling voor van de vele soorten kwaliteitsthee. Een bedrijf dat deze thee gemakkelijker verkrijgbaar heeft gemaakt is *Whittard of Chelsea*, dat in alle grote winkelcentra en hoofdstraten winkels heeft geopend. Naast een uitstekende verzameling pure en vermengde thee verkopen deze winkels een kleurrijke selectie theegerei en cadeauverpakkingen. De Twiningswinkel aan het Strand in Londen bestaat al sinds 1706 en weet bezoekers nog steeds in vervoering te brengen met zijn vele theesoorten, theegerei, theeboeken en oude familieportretten.

Veel Britten nemen nog steeds hun toevlucht tot thee wanneer er problemen op te lossen zijn, er medeleven geboden moet worden, wanneer de dag te lang is geweest of het werk te zwaar, wanneer de winterkou te hevig is of de zomerhitte te vermoeiend. Niets anders is goed genoeg – alleen een kopje thee kan redding brengen!

DE VERENIGDE STATEN

Hoewel de VS nog steeds wordt gezien als een land van koffiedrinkers, is er zo'n tien jaar geleden een revolutie op theegebied begonnen, die samenviel met een hernieuwde belangstel-

Selectie producten van het Amerikaanse Grace Rare Teas.

Theesalon 'The Rotunda' in het Pierre Hotel op de hoek van Fifth Avenue en 61st Street in New York.

ling voor Engeland. Dit heeft wellicht te maken met een groeiende aandacht voor de gezondheid en de romantiek rond het theedrinken. Tegenwoordig drinken meer dan 125 miljoen Amerikanen dagelijks thee, in welke vorm dan ook —warme zwarte thee, ijsthee of kant-en-klare thee.

De markt voor bijzondere theesoorten groeit en steeds meer enthousiaste mensen openen theesalons en cadeauwinkels of openen nieuwe verkooppunten van bestaande zaken. Theespecialisten organiseren presentaties, demonstraties en promotie- of gelegenheidsmanifestaties, waar ze klanten laten zien hoe thee gezet hoort te worden. Een groeiend aantal postorderbedrijven verkoopt zeldzame en exclusieve theesoorten die met zorg zijn geselecteerd. Naast uitgebreide lijsten met theesoorten bevatten websites en postordercatalogi informatie over ongebruikelijk theegerei, zoals Yi-Hsing-theepotten, Japanse serviezen en *guywans*, en tip voor hapjes een 'tea party'.

THEE
CATALOGUS

THEEPRODUCENTEN
OVER
DE HELE WERELD
AZOREN
KAMEROE
ECUADOR
RWAND
BRAZILIË
BURUND
PERU
ZIMBABW
ARGENTINIË

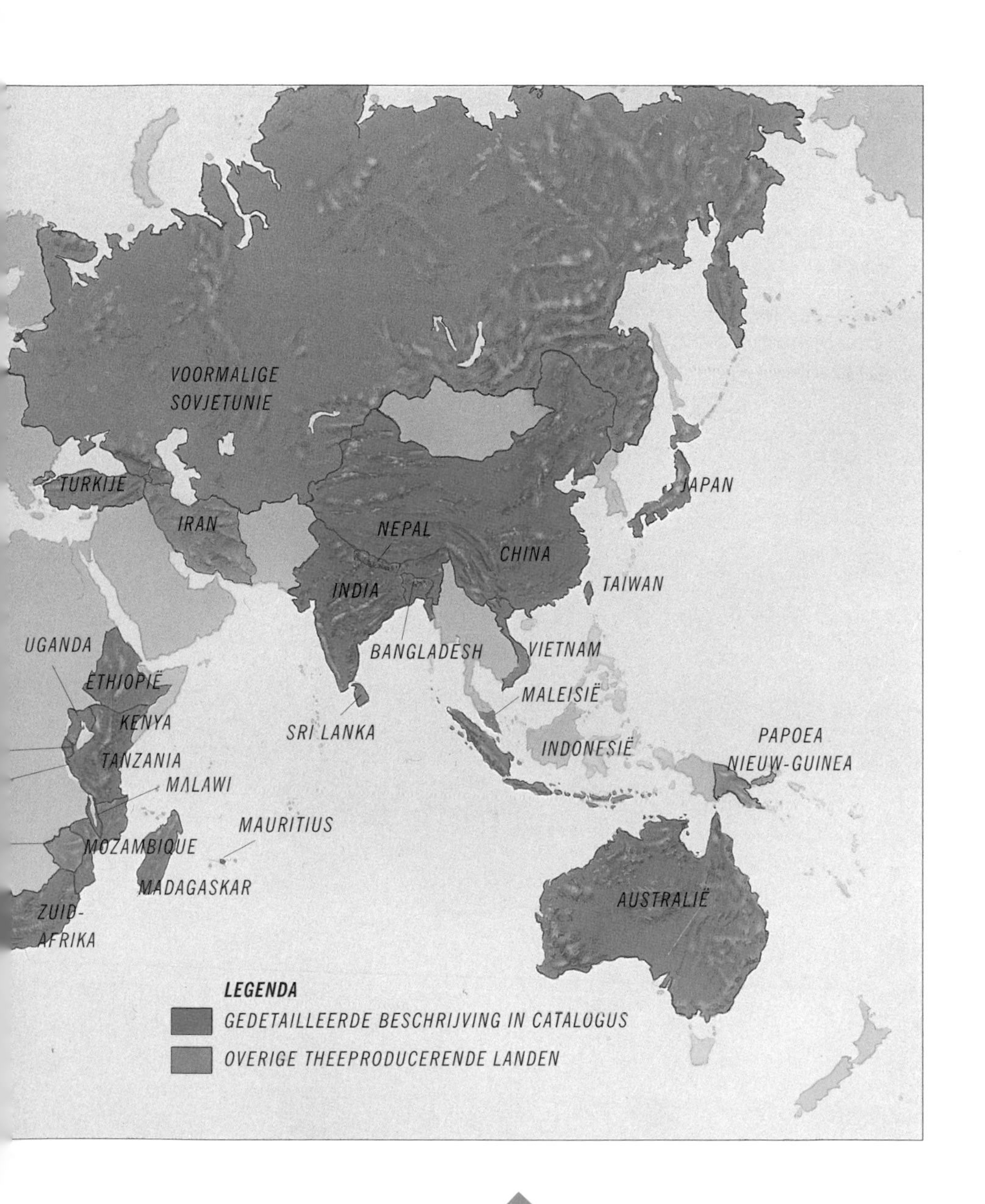
VOORMALIGE
SOVJETUNIE
TURKIJE
IRAN
NEPAL
CHINA
JAPAN
TAIWAN
INDIA
BANGLADESH
VIETNAM
UGANDA
ETHIOPIË
KENYA
TANZANIA
MALAWI
SRI LANKA
MALEISIË
INDONESIË
PAPOEA
NIEUW-GUINEA
MAURITIUS
MOZAMBIQUE
MADAGASKAR
ZUID-
AFRIKA
AUSTRALIË
LEGENDA
GEDETAILLEERDE BESCHRIJVING IN CATALOGUS
OVERIGE THEEPRODUCERENDE LANDEN

EEN OVERZICHT VAN ALLE WERELDTHEEËN

AFRIKA

KAMEROEN
Drie plantages produceren drie zeer verschillende theeën: gestekt, highgrown en lowgrown. Zeer goede kwaliteit.

KENYA
CTC-theeën uit Kenya worden meestal verkocht als Kenya-melanges of worden vermengd met thee uit andere gebieden. Rijke, donkere drank met een volle smaak.

MALAWI
CTC-thee. Wordt meestal verkocht voor melanges. Recente kwaliteitsverbeteringen door stekken. De laatste jaren heeft dit gebied te kampen met droogte.

ZUID-AFRIKA
Zwarte theeën. De meeste zijn voor de eigen markt. Zulu-thee, momenteel de enige Zuid-Afrikaanse thee op de internationale markt, wordt nu zeer populair in Europa en de VS.

TANZANIA
CTC- en orthodoxe theeën, die wel wat van Ceylon hebben, hoewel de kwaliteit varieert afhankelijk van de hoogte en wijze van plukken. De kwaliteit wordt aangetast door problemen met droogte en een tekort aan arbeidskrachten.

INDIA EN SRI LANKA

INDIA

Assam
Volle, moutige, krachtige, orthodoxe theeën met een rijke smaak en kleur.

Darjeeling
Theeën uit verschillende tijden van het jaar verschillen sterk van smaak: eerste pluk (First Flush) is een groenig blad dat een scherpe, geurige thee geeft, tweede pluk (Second Flush) geeft een zachtere, rondere thee; bij de tussenpluk wordt de scherpte van de eerste pluk gecombineerd met de rijpere smaak van de tweede; herfstpluk geeft theeën met een ronde smaak.

Dooars
Dit kleine gebied ten westen van Assam produceert volle, krachtige lowgrown-thee.

Nilgiri
De theeën uit het Nilgirigebergte in Zuid-India geven een smakelijk, fris aftreksel met een milde smaak.

Sikkim
Dit Indiase staatje produceert Darjeeling-achtige thee die voller en rijker van smaak is.

Terai
Een kleine streek ten zuiden van Darjeeling. Verbouwt thee met een rijkgekleurd aftreksel en een kruidige smaak.

Travancore
Deze zuidelijk streek produceert theeën die vergelijkbaar met Ceylon zijn: rijkgekleurd en vol van smaak.

SRI LANKA
Zes verschillende streken produceren theeën met eigen kenmerken. Highgrown geeft lichte, goudkleurige thee van zeer goede kwaliteit; middlegrown geeft rijke, koperrode thee; lowgrown geeft donkere, sterke thee die meestal voor melanges wordt gebruikt. Nuwara Eliya, de hoogstgelegen streek, levert de beste thee van Sri Lanka.

Het Verre Oosten

CHINA
Zeventien provincies produceren de grootste selectie uitstekende witte, groene, oolong, pouchong, zwarte, geperste en gearomatiseerde thee ter wereld, waarvan vele nog met de hand worden geplukt en bewerkt.

INDONESIË
De meeste theeën worden gebruikt in melanges. Ze geven een licht, helder, wat zoetig aftreksel, dat een beetje op highgrown-Ceylon lijkt.

JAPAN
Alleen groene thee. Gyokura, Sencha en Houjicha zijn verfijnde naaldbladtheeën die men laat trekken in water; Tencha wordt fijngesneden en Matcha verpoederd en met water schuimig geklopt.

TAIWAN
Orthodoxe groene, oolong en zwarte thee. Oolongs zijn Taiwans specialiteit en worden iets langer gefermenteerd dan Chinese oolongs, waardoor ze zwarter en iets sterker zijn. Ook worden er lichtgefermenteerde pouchongs gemaakt.

Andere theeproducenten

Zuid-Amerika

ARGENTINIË
Zwarte thee, met name gebruikt voor melanges in China en de VS.

BRAZILIE
Zwarte theeën die een helder aftreksel geven. Met name gebruikt in melanges.

ECUADOR
Zwarte thee, grotendeels geëxporteerd naar de V.S.

PERU
Zwarte thee, verbouwd op twee plantages.

Afrika

BURUNDI
Zwarte CTC-thee.

ETHIOPIË
Goede thee, geproduceerd in twee fabrieken.

MADAGASKAR
Gestekte thee van goede kwaliteit, van Oost-Afrikaans niveau.

MAURITIUS
Orthodoxe zwarte thee.

MOZAMBIQUE
Sterke, kruidige zwarte thee.

RWANDA
Zwarte CTC-thee van goede kwaliteit. Onvoorspelbaar vanwege politieke instabiliteit.

UGANDA
Zwarte thee, gebruikt in melanges.

ZIMBABWE
Zwarte theeën die een sterk, donker aftreksel geven en wel wat op Malawithee lijken.

Europa

AZOREN
Zwarte thee, verbouwd op gerenoveerde plantages.

Azië

BANGLADESH
Zwarte thee, met name gebruikt in melanges.

VOORMALIGE SOVJET-UNIE
CTC- en orthodoxe thee.

IRAN
Kleinschalige planters verbouwen zwarte thee met een lichte smaak.

MALEISIË
Thee van slechte kwaliteit, voornamelijk verkocht aan de toeristenindustrie.

NEPAL
Darjeeling-achtige zwarte thee.

TURKIJE
Zwarte thee, hoofdzakelijk voor de binnenlandse markt.

VIETNAM
Zwarte CTC- en groene thee.

Pacifisch gebied

AUSTRALIË
Zwarte thee voor de binnenlandse markt.

PAPOEA NIEUW-GUINEA
Zwarte thee met een donker aftreksel en een sterke smaak.

HOE GEBRUIKT U DIT BOEK?

De catalogus is verdeeld in vier hoofdstukken. In de eerste drie hoofdstukken worden elf theeproducerende landen in detail behandeld. Aan deze landen wordt extra aandacht besteed vanwege de hoeveelheid thee die ze produceren, de voortreffelijke kwaliteit van hun thee of omdat ze theeën produceren die met name interessant zijn voor kenners en ze een rooskleurige toekomst tegemoet gaan. In het laatste hoofdstuk worden andere theeproducerende landen kort behandeld en waar mogelijk worden plantages aanbevolen.

In de eerste drie hoofdstukken worden voor elk land enkele theeën aanbevolen als de beste of een van de beste in hun soort. In sommige streken zijn er zoveel voortreffelijke theeën van afzonderlijke tuinen dat ze onmogelijk allemaal te noemen zijn.

Bij de aanbeveling van onvermengde theeën kunnen alleen algemene kenmerken worden aangegeven, omdat thee van jaar tot jaar kan verschillen door veranderingen in weerpatronen en plaatselijke omstandigheden.

Bij de beschrijving van elke thee worden bereidingstips gegeven en advies over hoe en wanneer de betreffende thee gedronken kan worden. Dit zijn slechts richtlijnen.

De hoeveelheden thee en de trektijd kunnen variëren naar gelang de persoonlijke voorkeur. Ook zullen de smaken verschillen over wanneer en hoe de thee gedronken moeten worden en bij welke voedselsoorten hij het beste past.

Voor het maken van een kopje thee hebt u ongeveer 150 ml water nodig. Vermenigvuldig de hoeveelheid water en thee met het aantal kopjes dat u nodig hebt. Voor elk kopje thee hebt u ongeveer 1 gram losse thee nodig, hoewel dit enigzins afhankelijk is van de bladgrootte van de betreffende thee.

AFRIKA

KAMEROEN

Interessante theeën voor kenners die op zoek zijn naar iets anders dan anders.

TUSSEN 1884 EN 1914 VERBOUWDEN Duitse planters hier vele gewassen, zoals koffie, oliepalm, tabak en bananen. En ze experimenteerden met het verbouwen van thee. In 1914 werden de eerste theestruiken geplant bij Tole, op de vruchtbare hellingen van de berg Cameroun (West-Afrika's enige actieve vulkaan) in het zuidwesten van het land aan de Atlantische kust.

Tole ligt ongeveer 670 meter boven zeeniveau en is geschikt voor het verbouwen van thee. De jaarlijkse regenval is ongeveer 300 cm, de temperaturen variëren er van 18 tot 28 °C en de vochtigheidsgraad is er hoog. De theeplantages bestrijken 26,7 hectare. Hoewel de aanvankelijke aanplant in de jaren '40 verder werd ontwikkeld

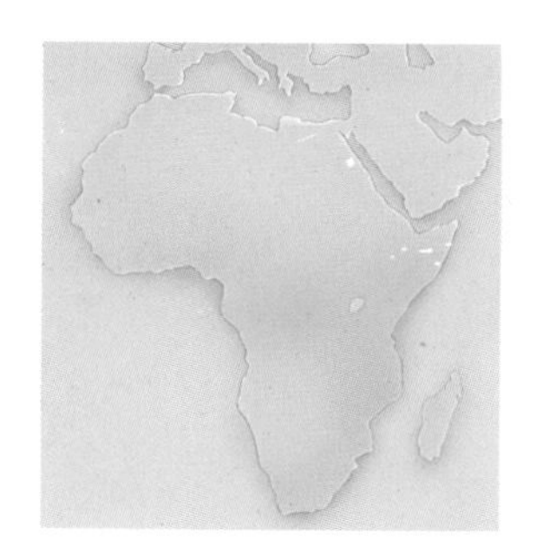

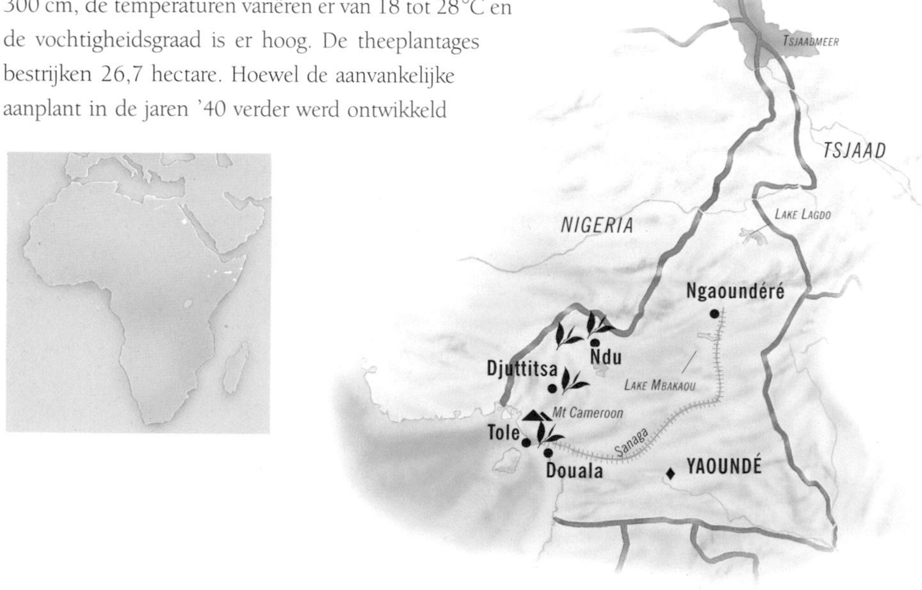

De fabriek van Tole met op de achtergrond Mt. Cameroun.

en de theeproductie groeide, stopte de productie in 1948. Ze kwam pas 1952 weer op gang, toen verschillende theeakkers opnieuw in gebruik werden genomen. In 1954 besloot men Tole te ontwikkelen tot een plantage van 280 hectare en in 1968 was er ongeveer 328 hectare geplant en was de productie van orthodoxe zwarte theeën gestegen tot 685,6 ton per jaar.

Er werden meer theeplantages ontwikkeld in Ndu, op de steile velden van de noordwestelijke provincie. De nieuwe plantages werden in 1957 met zaad uit Tole en Oost-Afrika uitgezet op een hoogte van 2350 meter en er werd een traditionele fabriek gebouwd. Zo bezat Kameroen in 1968 twee theeplantages met in totaal 738 hectare thee.

Ndu

Kenmerken

Traditionele zwarte highgrown, verbouwd op 2100 m hoogte. Geeft een helder, kleurig aftreksel.

Bereiding

1 Theelepel voor 150 ml water van 95°C. 2 Minuten laten trekken.

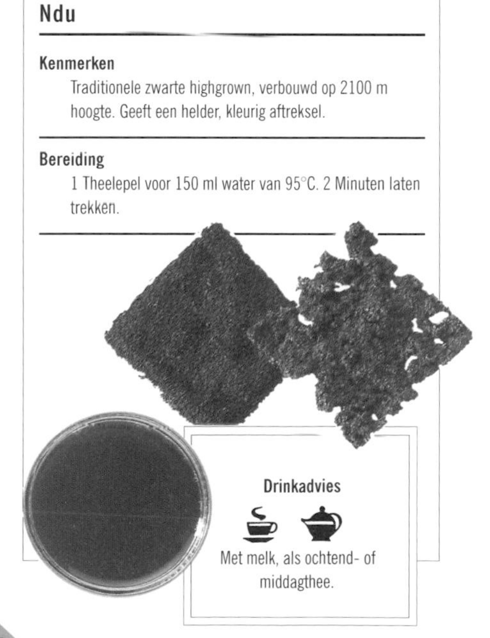

Drinkadvies

Met melk, als ochtend- of middagthee.

Djuttitsa Clonal

Kenmerken

Goede kwaliteit gestekte CTC-thee, highgrown op 1650 m hoogte. Helder aftreksel met goede smaak.

Bereiding

1 Tl voor 150 ml water van 95 °C. 3 Minuten laten trekken.

Drinkadvies

Met melk, als ochtend- of middagthee.

Tole

Kenmerken

Interessante lowgrown CTC-bladthee die een goede, heldere kleur en een vrij goede smaak geeft.

Bereiding

1 Tl voor 150 ml water van 95 °C. 3 Minuten laten trekken.

Drinkadvies

Lekker op elk moment van de dag, met wat melk.

Tegenwoordig wordt er in Kameroen zo'n 1574 ha thee verbouwd, waarvan 600 ha beplant is met gestekte struiken. Er wordt het hele jaar door geplukt en tijdens het hoogseizoen worden er maar liefst 2300 mannen en vrouwen ingezet om de thee te oogsten. De jaarlijkse productie ligt rond de 4167,5 ton en men verwacht dat ze in het jaar 2000 zal zijn gestegen tot 4629,7.

In de jaren '50 werd alle thee uit Kameroen in Londen geveild. Tot 1965 werd 60% geëxporteerd naar Europa en Nigeria, maar sinds 1966 wordt er meer in eigen land verkocht. Nu zijn de republieken Tsjaad en Sudan Kameroens voornaamste afnemers. De modernisatie van fabrieken en de ontwikkeling van beplante gebieden gaat echter voort en de introductie van de CTC-machine zal het aanbod op de Londense veiling waarschijnlijk vergroten.

Thee uit Kameroen is zeer interessant voor kenners die op zoek zijn naar iets anders dan anders. De drie fabrieken in dit kleine land produceren drie zeer verschillende theeën. lowgrown van Tole, highgrown van Ndu en gestekte thee van Djuttitsa zijn allemaal van zeer goede kwaliteit.

KENYA

Op de vruchtbare hooglanden van Kenya wordt kwaliteitsthee verbouwd.

IN 1903 WERDEN IN LIMURU DE EERSTE THEESTRUIKEN geplant en in de hooglanden van Kericho en Nandi nam de productie tot eind jaren '50 langzaam toe, toen kleine boeren op proef thee gingen verbouwen. In 1950 was het duidelijk geworden dat thee voor Kenya een belangrijk handelsartikel vormde en werd de Tea Board of Kenya gesticht om de handel in goede banen te leiden. In 1964 werd de Kenya Tea Development Authority opgericht, die tot doel had de ontwikkeling van de theecultivatie door Kenyaanse kleine boeren in geschikte gebieden te stimuleren. Het totaal van 19.775 kleine theeboeren op 4413 ha grond in 1964 is nu opgelopen tot 269.839 planters op 90.000 ha.

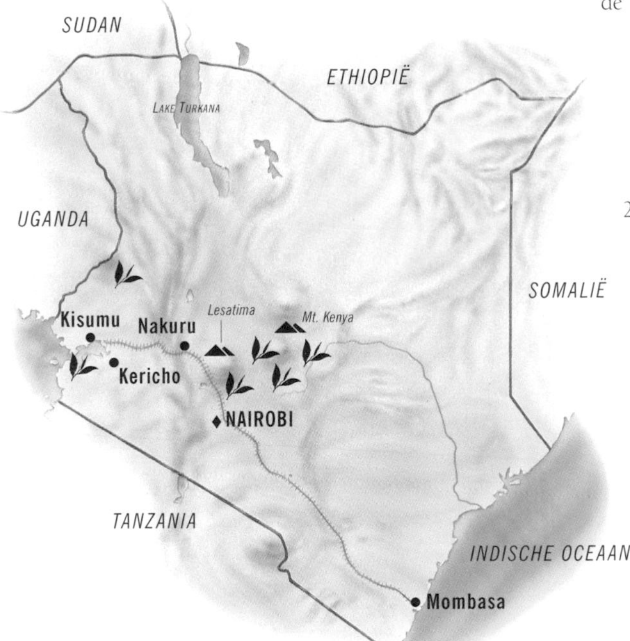

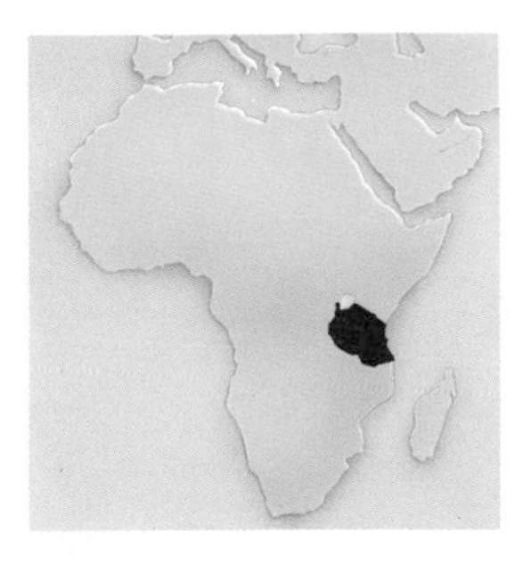

In de jaren '60 was er maar een fabriek, Ragati in Nyeri, maar sindsdien zijn er 43 bijgekomen in dertien districten, die in totaal 27.557,8 tot 33.069,3 ton groene bladeren per jaar produceren. De zwarte CTC-theeën bevatten veel puntjes en geven een sterk, rijk, vol aftreksel met een bijna zoete geur. Ze worden veel gebruikt voor melanges. Een tuin, Marinyn, produceert orthodoxe bladthee van hoge kwaliteit die wel wat op traditionele Assam lijkt.

De voornaamste kweekgebieden liggen in de Kenyaanse Hooglanden, een gebied dat in hoogte varieert van 1665 tot 3000 m en waar de struiken door de overdadige regenval goede bladeren opleveren. Hoewel Kenya over het algemeen te droog is voor het kweken van gewassen, profiteren de bergen van de warme, vochtige lucht die opstijgt van het Victoriameer en op grotere hoogte als regen naar beneden valt. Er kan het hele jaar door geplukt worden, maar de beste thee wordt eind januari/

Kenyaanse theeplukkers.

begin februari en in juli geoogst. De kwaliteit is zo constant en hoog dat Kenya een van de voornaamste producenten ter wereld is geworden. In 1992 was Kenya derde, na China en India, met een productie van 207.234,3 ton – 7,8 procent van de wereldproductie. Dat jaar werd er 182.983,5 ton geëxporteerd – 16,5 procent van de totale wereldexport. In 1993 werd een record van 232.587,4 ton gehaald, waarvan 207.234,3 ton werd geëxporteerd. De theeën worden overal ter wereld tegen hoge prijzen verkocht. De thee wordt verkocht op de veilingen van Mombasa en Londen of direct aan kopers in binnen- en buitenland. Tot de grootste buitenlandse afnemers behoren Nederland, Groot-Brittannië, Ierland, Canada, Duitsland, Japan, Pakistan, Egypte en Sudan.

Marinyn

Kenmerken

Mooie, traditionele bladthee met veel puntjes uit de beroemdste tuin van Kenya. Een sterk, rijk aftreksel met een volle, ronde, fruitige smaak.

Bereiding

1 Tl voor 150 ml water van 95 °C. 2-3 Minuten laten trekken.

Drinkadvies

Met melk, als middagthee.

Kenyamelange

Kenmerken

Goede, uitgebalanceerde smaak. Rijk, roodgouden aftreksel.

Bereiding

1 Tl voor 150 ml water van 95 °C. Laat dit 2-3 minuten trekken.

Drinkadvies

Met melk, als ontbijt- of middagthee. Heerlijk bij chocoladegebak en desserts.

MALAWI

Een recent herplantingsproject heeft tot een kwaliteitsverbetering geleid.

Na Kenya is Malawi Afrika's belangrijkste theeproducent. In 1878 werd het eerste theezaad uit de Royal Botanical Gardens in Edinburgh, Schotland geïntroduceerd in het toenmalige Nyasaland. Rond de 1900 werden er in Thyolo, Lauderdale en Thornswood plantages aangelegd met zaad uit Natal, dat oorspronkelijk uit Ceylon kwam.

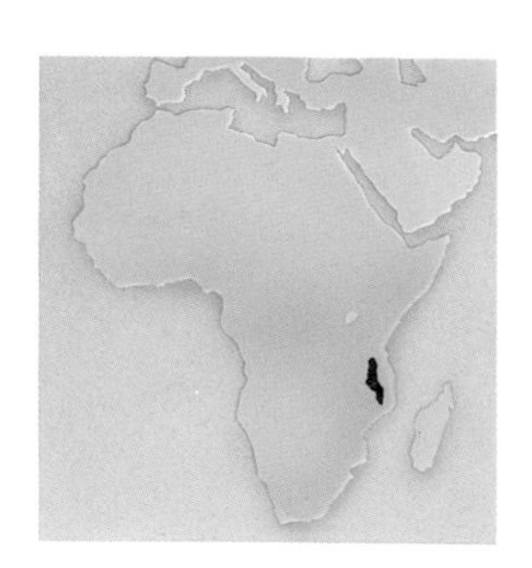

In 1905 werd de eerste thee geëxporteerd en hoewel de vroege productie niet bijzonder goed van kwaliteit was, groeide de industrie snel en halverwege de jaren '50 was er al meer dan 5.000 ha aangeplant. De meeste gebieden zijn vrij laag gelegen –het district Mulanje ligt gemiddeld slechts 600 m boven zeeniveau– en de onvoorspelbare regenval en hoge temperaturen zijn niet ideaal voor thee. In 1966 werd de Tea Research Foundation opgericht, met name vanwege de omstandigheden waarin men in dit gebied thee verbouwt. Zelfs in goede jaren weten theeboeren nooit zeker wat het weer zal doen. In 1992 verschrompelden en stierven nieuwe planten, was de pluk middelmatig en liepen volwassen struiken blijvende

Een kweekselectieveld van de Mimosa Tea Research Foundation.

schade op door de lage regenval en abnormaal hoge temperaturen, voorafgegaan door nog minder regen in 1990 en 1991. In 1994 waren de struiken echter al weer hersteld en de gemiddelde jaarlijkse productie is nu 44.092,4 ton.

Namingomba

Kenmerken

Zuivere thee van goede kwaliteit. Helder aftreksel met goede kleur en volle smaak.

Bereiding

1 Tl voor 150 ml water van 95 °C. 3 Minuten laten trekken.

Drinkadvies

Met melk, op elk moment van de dag en met name 's ochtends.

De meeste thee uit Malawi wordt gebruikt als 'opvulthee' in melanges, maar een recent project voor het kweken en herplanten van stekjes heeft geleid tot een verbetering van de kwaliteit en een prijsstijging op de Londense veiling.

Kavuzi

Kenmerken

LTP-thee (lijkt op CTC-thee) van kleine bladeren uit het noorden van Malawi. Sterk aftreksel met een diepe kleur.

Bereiding

1 Tl voor 150 ml water van 95 °C. 3 Minuten laten trekken.

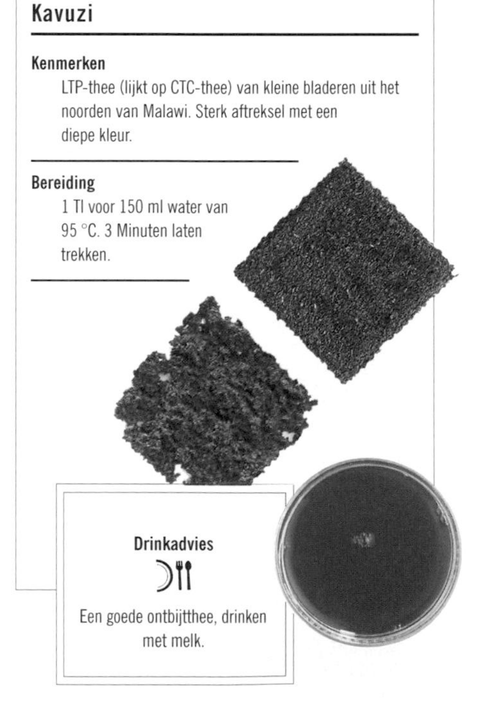

Drinkadvies

Een goede ontbijtthee, drinken met melk.

ZUID-AFRIKA

Een recent herplantingsproject heeft tot een kwaliteitsverbetering geleid.

DE EERSTE THEEPLANTEN IN ZUID-AFRIKA –uit Kew Gardens in Engeland– werden in 1850 ten zuiden van de rivier de Limpopo geplant in de Durban Botanical Gardens in Natal. Toen in 1877 werd begonnen met de commerciële verbouw, werd zaad uit Assam gebruikt. In 1881-1882 was de productie ruim 1/4 ton, maar in 1884-1885 maar liefst 28,5 ton. In 1886 produceerde Natal 40 ton –allemaal voor de plaatselijke markt– en in 1889 waren er zo'n twaalf plantages met in totaal ruim 441 ha thee.

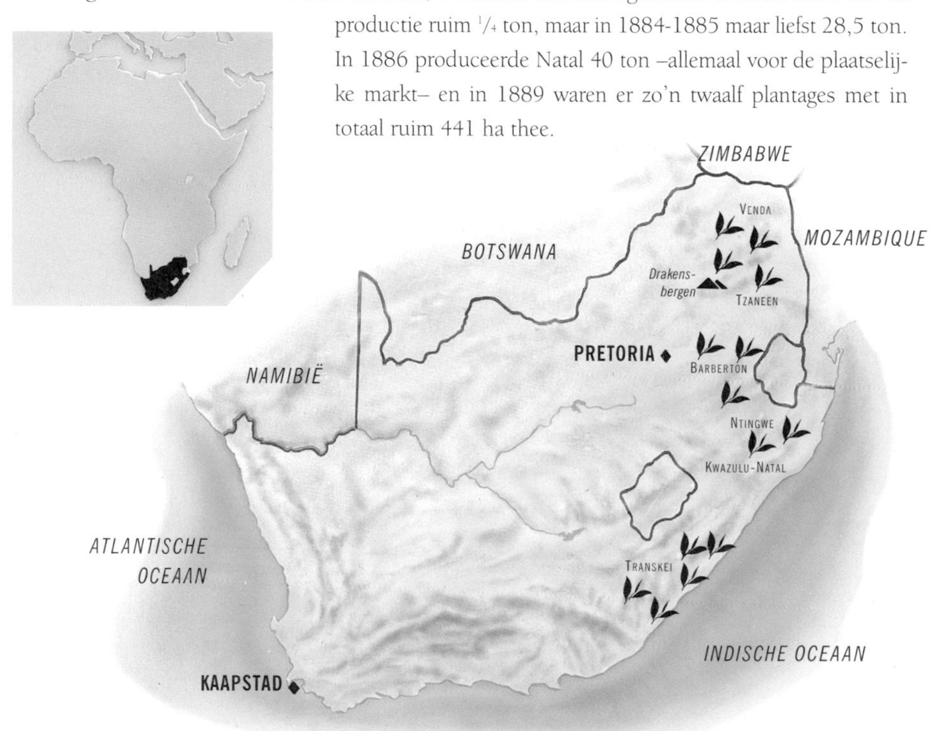

De thee wordt ingepakt in een Zuid-Afrikaanse theefabriek.

Tijdens de eerste helft van deze eeuw begon men in Kwazulu-Natal met de commerciële productie, maar in 1949 werd de productie gestaakt door de hoge arbeids- en verpakkingskosten en de ingezakte wereldmarkt. In de jaren '60 werd het bedrijf Sapekoe opgericht en werden er nieuwe gebieden beplant langs de Drakensbergen in Oost-Transvaal en in delen van Natal en Transkei. Sinds 1973 zijn er in Zuid-Afrika nog meer plantages opgericht in Levubu, Venda en bij Ntingwe in Zoeloeland.

De thee wordt geplukt in de oogsttijd.

De bladeren worden geoogst tijdens het korte regenseizoen van november tot maart en het grootste deel wordt bewerkt met een aangepaste CTC-methode. In het begin van de jaren '90 had het droge weer een nadelig effect op de productie en de kwaliteit, maar theestruiken herstellen verbazend goed en de Zuid-Afrikanen zijn optimistisch over zowel de productie als de groeiende binnenlandse consumptie.

De Zuid-Afrikanen drinken ongeveer tien miljard kopjes thee per jaar, waarvan ongeveer 67 procent met theezakjes wordt gezet. Vanwege deze grote binnenlandse consumptie worden bijna alle verbouwde theeën in eigen land verkocht en zijn ze op wereldveilingen nauwelijks te vinden. Zulu-thee van de Ntingwe-plantage in Kwazulu-Natal wordt echter wel geëxporteerd en heeft een plekje op de Europese en Amerikaanse markt veroverd.

Zuid-Afrika is ook beroemd om zijn Rooibosch- of rode thee, die wordt gemaakt van de bladeren van de *Aspalathus linoaris* en niet van de *Camellia sinensis*. Het aftreksel, dat er bijna net zo uitziet en smaakt als thee en met melk wordt gedronken, begint bekendheid te krijgen in heel Europa en de VS. Deze populariteit heeft waarschijnlijk te maken met het feit dat deze drank volledig cafeïnevrij en rijk aan vitamine C, mineraalzouten en proteïnen is.

Zulu-thee

Kenmerken

Zwarte thee die een fris, energiek aftreksel geeft.

Bereiding

1 Tl voor 150 ml water van 95 °C.
2-3 Minuten laten trekken.

Drinkadvies

Drinken met melk. Ideale ontbijtthee.

TANZANIA

De kwaliteit van de thee varieert naar gelang de hoogte en de wijze van plukken.

In Tanzania werd de eerste thee rond 1905 in Amari en Rungwa verbouwd door Duitse kolonisten, maar de commerciële productie begon pas in 1926. In 1930 werd er in Mufindi een fabriek geopend en de theeindustrie strekte zich geleidelijk uit naar de Zuidelijke Hooglanden en Usambara. Tegenwoordig zijn de voornaamste productiegebieden Rungwa, Mufindi, Njombe, Usambara en Kagera. Het totale theegebied beslaat ongeveer 20.000 ha, waarvan ongeveer 50 procent van particuliere producenten is en de rest van kleine boeren. De theeproductie door kleine boe-

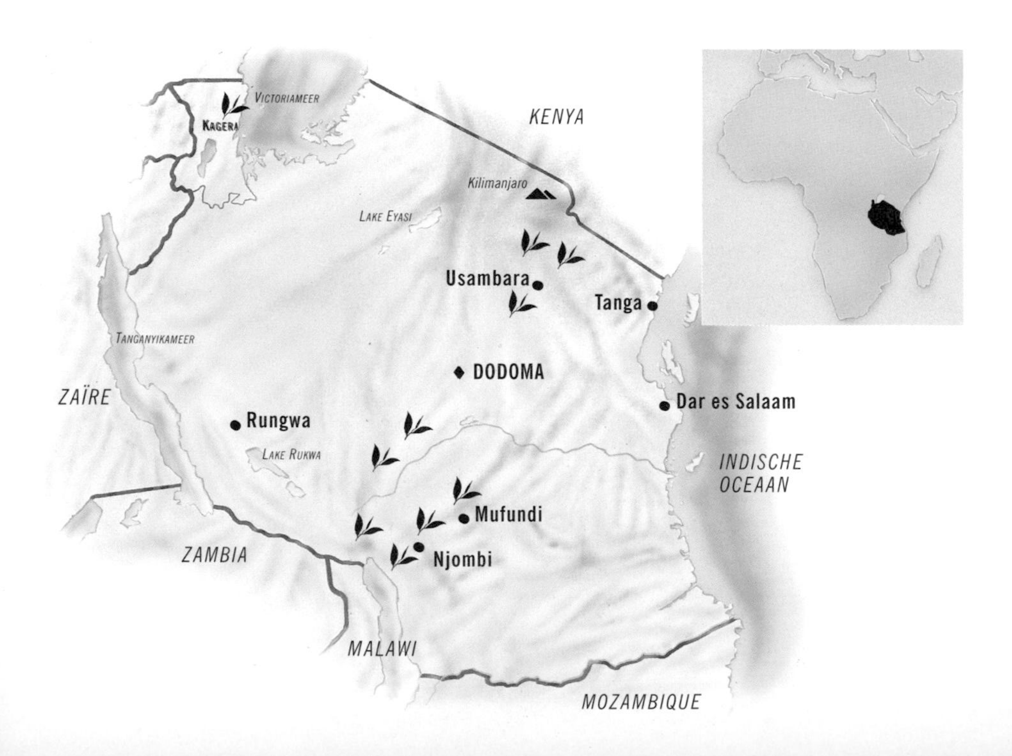

ren begon na de onafhankelijkheidsverklaring in 1961 en levert tegenwoordig ca. 30 procent van de totale groene-bladerenvoorraad. Deze industrie werkt op twee niveaus: particuliere plantages verbouwen en verwerken hun eigen thee; de Tanzania Tea Authority (TTA) koopt groene bladeren van kleine boeren en bewerkt ze in TTA-fabrieken. Momenteel bezit de particuliere sector veertien fabrieken, de TTA vijf en er zijn nog twee gemeenschappelijke ondernemingen.

De productie varieert per jaar door problemen als een tekort aan transportmiddelen, een tekort aan arbeidskrachten, brandstoftekort, verouderde fabrieken, droogte, enzovoort. De productie is de laatste acht jaar echter toegenomen en toegenomen investeringen en aantrekkelijke financiële regelingen voor de thee-export hebben ertoe geleid dat de toekomst van de Tanzaniaanse theeproductie er rooskleuriger uitziet.

Ongeveer 70 procent van Tanzania's thee wordt geëxporteerd. De kwaliteit van de thee varieert met de hoogte en de wijze van plukken. Sommige fabrieken produceren CTC-BP1, PF1 en PD van zeer goede kwaliteit en de gemiddelde prijzen zijn gewoonlijk hoger dan die van thee uit Malawi, Uganda en Zimbabwe.

Kilima

Kenmerken

Uitstekende zwarte thee, verbouwd op 1800-2100 m. Lijkt op Ceylonthee. Sterk, fruitig aftreksel.

Bereiding

1 Tl voor 150 ml water van 95 °C. 2-3 Minuten laten trekken.

Drinkadvies

Met wat melk, 's ochtends of 's middags.

Voor de kwekerij worden stekjes gemaakt.

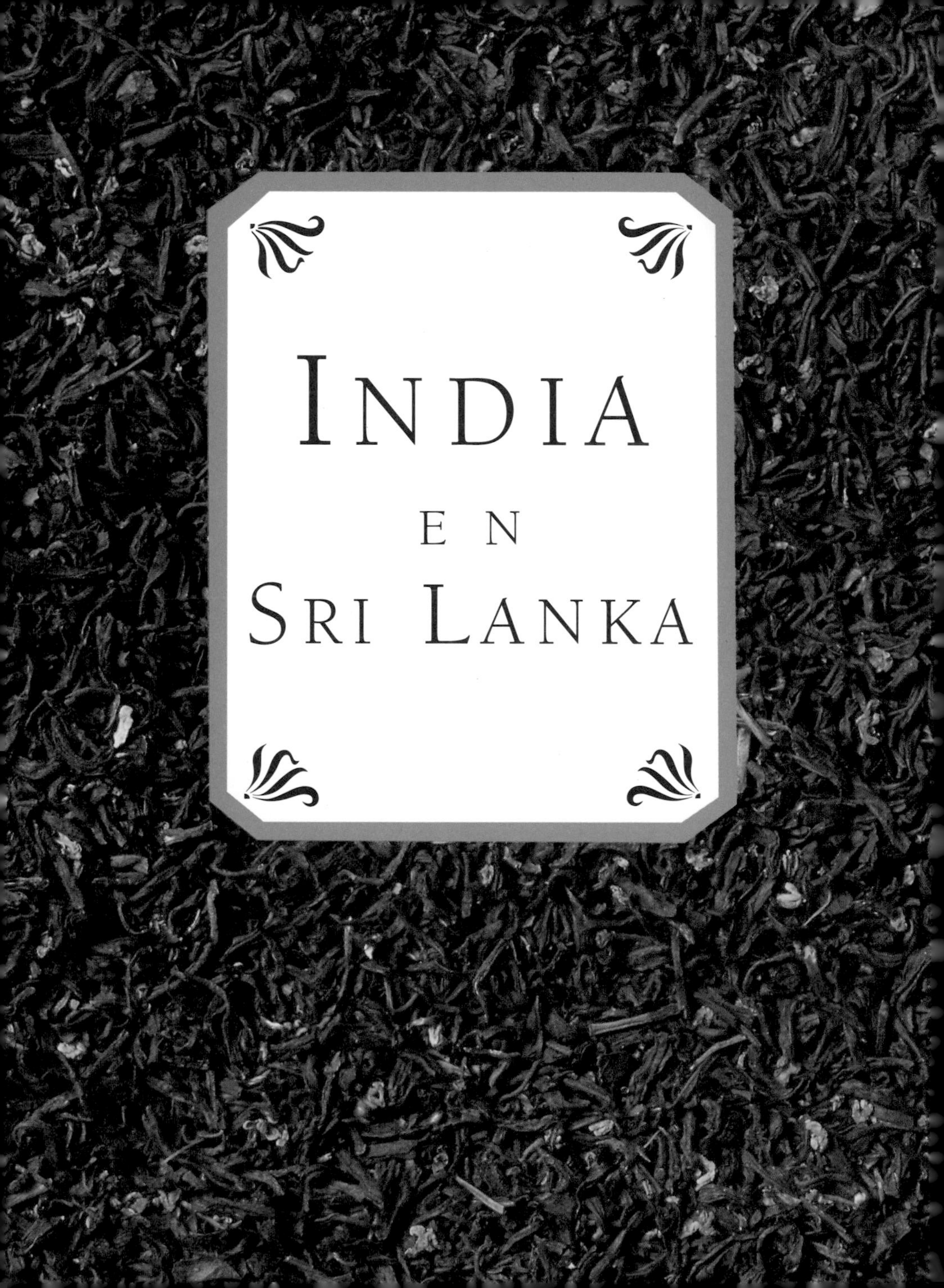
INDIA
EN
SRI LANKA

INDIA

Een van de grootste theeproducenten ter wereld met meer dan 13.000 plantages.

Toen de Nederlander Jan Huyghen aan het eind van de zestiende eeuw via Kaap de Goede Hoop naar Goa aan de westkust van India was gevaren, maakte hij melding van de theedrinkgewoonten van de Indiase bevolking. In zijn boek *Itinerario. Voyage ofte Schipvaert van Jan Huyghen van Linschoten naer Oost ofte Portugaels Indiën, 1579-1592* (1598) vertelt hij hoe de bladeren van de Assamboom door de Indiërs zowel als groente, bereid met knoflook en olie, en als drank werden gebruikt.

PAKISTAN
DELHI
SIKKIM
ASSAM
Ganges
Darjeeling
Dooars
Calcutta
Bombay
ARABISCHE ZEE
BAAI VAN BENGALEN
Madras
Nilgri bergen
SRI LANKA

In 1784 verklaarde de Britse botanist Sir Joseph Banks dat het Indiase klimaat geschikt was voor theeverbouw, maar hij wist niet dat de plant er al groeide. In 1823 ontdekte Robert Bruce, een Schotse huurling, dat de inheemse bevolking thee dronk die gemaakt werd van een andere theeplant dan die men uit China kende. Samen met zijn broer Charles, die voor de East India Company werkte, liet hij enkele van deze inheemse planten kweken in de botanische tuinen van Calcutta. Ondanks het feit dat de East India Company stug volhield dat alleen Chinese planten goed genoeg waren voor commerciële productie, slaagden de gebroeders Bruce er in 1835 in hen ervan te overtuigen dat de *Camellia assamica* kon gedijen op plekken waar de *Camellia sinensis* dat niet kon. Er werden plantages opgericht en de eerste lading van acht kisten Assamthee arriveerde in 1838 in Londen. De nieuwe onderneming werd echter pas winstgevend in 1852. Men beweerde dat de plantages werkgelegenheid opleverden en dat de plaatselijke bevolking ervan profiteerde, maar in werkelijkheid gebruikten de eerste plantages Chinese arbeidskrachten. In 1840 werd de Assam Tea Company opgericht, die haar activiteiten al gauw uitbreidde naar het noorden van India. De productie groeide gestaag en de export steeg van 183,4 ton in 1853 naar 6.700 ton in 1870. In 1885 was de productie ca. 35.274 ton (waarvan 34.171,7 ton werd geëxporteerd) en in 1947, toen India onafhankelijk werd, was de productie gestegen tot 281.089,6 ton.

Tegenwoordig is India een van de grootste producenten ter wereld. Het land heeft meer dan 13.000 tuinen met meer dan twee miljoen arbeiders en produceert ca. 30 procent van alle zwarte thee en 65 procent van alle CTC-thee ter wereld. De overgang van de traditionele bewerking naar de CTC-methode in veel Indiase fabrieken was het gevolg van een groeiende Britse en Ierse markt en een toenemende voorkeur vanaf de jaren '50 voor snel te bereiden, sterke thee in zakjes.

Indiase tuinen gebruiken verschillende productiemethoden, afhankelijk van de markt waarvoor ze produceren. Sommige produceren CTC-gruis- en stofthee voor de binnenlandse markt en andere produceren traditionele bladthee met puntjes voor de specialiteitenmarkt.

In 1993 werd er 587.532,4 ton CTC-thee geproduceerd (vergeleken met 544.542,2 ton in 1992) –bijna 83 procent van de totale productie– en de productie van traditionele thee is de laatste jaren iets afgenomen. India's binnenlandse markt is de laatste 45 jaar gegroeid: in 1951 was de binnenlandse vraag 'slechts' 80.468,8 ton (ongeveer 30 procent van de productie). In 1991 was dit gestegen tot 573.202,4 ton (ongeveer 75 procent van de productie). Maar de Indiase theeplanters zijn hun exportverplichtingen altijd na gekomen en de Tea Board of India en de onderzoeksin-

Nilgiri van topkwaliteit.

De thee wordt geplukt op een plantage in Nilgiri.

stanties in alle theegebieden in Noord- en Zuid-India volgen een nauwkeurig geformuleerde lange-termijnstrategie om de productie en de productiviteit te vergroten.

Een taak van de Tea Board is het beschermen van de reputatie van India's belangrijkste theeën: Darjeeling, Assam en Nilgiri. Met de groeiende reputatie van deze theeën en de toenemende internationale vraag, is er een situatie ontstaan waarin theepakkers theeën verkochten als Pure Darjeeling, Pure Assam en Pure Nilgiri die in werkelijkheid vermengd waren met thee uit andere streken. Hierdoor ontstond de noodzaak om overal ter wereld de kwaliteit van deze theeën zeker te stellen. De Board heeft drie logo's ontworpen, die garanderen dat de pakjes pure Darjeeling, Assam of Nilgiri bevatten en dat die thee gekocht is van bedrijven die door de Tea Board gecontroleerd en erkend zijn. Op het logo van Darjeeling staat een Indiase plukster met een theeloot met twee blaadjes en een knop in haar hand;

Logo's van kwaliteitsthee.

op het logo van Assam staat een Indische neushoorn, die voorkomt in de Brahmaputravallei in Assam; en het logo van Nilgiri toont de golvende heuvels van het Nilgirigebergte in het zuiden van India. Aan de hand van deze symbolen kan de consument de echte kwaliteit van India's belangrijkste theeën gemakkelijk herkennen.

De export is sinds 1947 aanzienlijk veranderd. In dat jaar was Groot-Brittannië de grootste koper (140.214,1 ton; 66,3 procent van de totale export) en werden er alleen kleine hoeveelheden gekocht door Oost-Europa en enkele Arabische staten. Tegenwoordig zijn Iran, Polen, Egypte en de voormalige Sovjetunie India's beste klanten en is het Britse aandeel gedaald tot 15,7 procent van de totale export. De Japanners zijn nieuwkomers met een voorkeur voor met name Darjeeling, traditionele wit- en goudpuntthee en Nilgirithee.

Hoewel India voornamelijk zwarte thee produceert, wordt er in de Kangravallei ten noorden van Delhi op kleine schaal groene thee geproduceerd, voornamelijk voor de Afghaanse markt. Ook zijn er in India enkele biologische plantages –Mullootor en Makaibari in Darjeeling– die geen chemicalieën gebruiken bij hun milieuvriendelijke productie.

ASSAM

Tegenwoordig wordt er thee verbouwd aan beide kanten van de Brahmaputra, het grootste zwarte-theegebied ter wereld. In 1993, zo'n 155 jaar nadat de eerste Assamthee in Londen arriveerde, produceerden de 2000 tuinen in Assam maar liefst 444.231,8 ton – 53 procent van India's recordoogst van 835.552,7.

De Brahmaputravallei ligt ruim 190 kilometer ten oosten van Darjeeling en grenst aan China, Birma en Bangladesh. In het gebied valt bijzonder veel regen: 198 tot 295 cm per jaar. De regen is echter zeer onregelmatig; tijdens de moesson kan er wel 25-30 cm per dag vallen. Tijdens deze periode stijgt de temperatuur tot wel 95 °C en door de combinatie van hitte en vochtigheid groeien hier enkele van de beste theeën ter wereld.

Het grootste deel van de productie vindt plaats van juli tot september, wanneer bijna 1000 plukkers acht uur per dag in de hete, dampende tuinen werken en ieder zo'n 50.000 struiken per dag plukt. De omstandigheden zijn niet goed en naast de intense hitte maken slangen en insecten het leven wel erg ongemakkelijk. De bladeren worden in zware manden gegooid die op de rug worden gedragen en door een riem om het voorhoofd worden gesteund.

Om aan de toenemende binnenlandse vraag te voldoen en om een stabiele export te garanderen, heeft de industrie in Assam zich de laatste jaren vooral geconcentreerd op de kweek en selectie van superieure stekplanten en zaadvoorraden en onderzoek naar veredeling. Vanwege het arbeidstekort in het hoogseizoen, experimenteren sommige gebieden met machinaal plukken.

Jonge thee in een afwateringverbeteringsproject in Assam.

Bewerkte CTC- en orthodoxe thee gaan per vrachtwagen naar de dichtstbijzijnde veilinghuizen in Guwuhati (waar vooral thee voor de binnenlandse markt wordt verhandeld), Silgiri en Calcutta (waar thee voor de export wordt geveild).

FIRST FLUSH ASSAM

De theestruiken beginnen te groeien na hun winterrust in maart en de eerste pluk duurt acht tot tien weken. In tegenstelling tot Darjeeling wordt eerstepluk-Assam zelden verkocht in Europa en de VS.

Bamonpookri

Kenmerken

Goedgemaakte, gelijke stukjes groenbruine bladthee, die lijken op eerste pluk-Darjeeling. Uitstekende kwaliteit. Sterke, frisse smaak.

Bereiding

1 Tl voor 150 ml water van 95 °C. 3 Minuten laten trekken.

Drinkadvies

Met wat melk als ontbijtthee.

SECOND FLUSH ASSAM

De tweede pluk begint in juni en het grootste deel van de productie vindt plaats van juli tot september. De onderkant van de grote bladeren van de *Camellia assamica* is bedekt met talloze zilverkleurige haartjes en geeft 'puntjesthee' van goede kwaliteit. Na het zetten geven ze een rijk aroma, een helder, donkerrood aftreksel met volle, sterke, moutige smaak die vooral bij het ontbijt erg goed smaakt.

Napuk

Kenmerken

Uitgebalanceerde smaak, heerlijk aroma en alle kwaliteiten van een goede Assamthee.

Bereiding

1 Tl voor 150 ml water van 95 °C. 3-4 Minuten laten trekken.

Drinkadvies

Met melk. Erg lekker bij een ontbijt met geroosterd brood met marmelade.

Thowra

Kenmerken
Prachtige blaadjes met veel gouden puntjes. Sterk, kruidig aftreksel met een volle smaak.

Bereiding
1 Tl voor 150 ml water van 95 °C.
3-4 Minuten laten trekken.

Drinkadvies

Een voortreffelijke ontbijtthee.
Het lekkerst met melk.

Andere aanbevolen tuinen

Betjan, Bhuyanphir, Borengajuli, Dinjoye, Hajua, Halmari, Harmutty, Jamirah, Maud, Meleng, Nokhroy, Numalighur, Sankar, Seajuli, Sepon, Silonibari en Tara.

ASSAMMELANGE

Door zijn moutige, volle smaak is Assammelange bij uitstek geschikt als ochtendthee, die zeer goed past bij een Engels ontbijt met spek, ham en gerookte vis.

Assammelange

Kenmerken
Scherp, moutig, vol aftreksel met dieprode kleur.

Bereiding
1 Tl voor 150 ml water van 95 °C. 3-4 Minuten laten trekken.

Drinkadvies

Drinken met melk, als sterke ontbijt- of middagthee.

GROENE ASSAM

Iets meer dan 1 procent van India's totale theeproductie bestaat uit groene thee. Assam produceert zeer weinig van dit soort thee, maar de ongebruikelijke, lichte, bijna zoete drank is de moeite van het proberen wel waard.

Khongea

Kenmerken

Een groene thee. De jonge blaadjes geven een geurig aroma en een helder, goudkleurig aftreksel met een zoete smaak.

Bereiding

2 Tl voor 150 ml water van 90-95 °C. 2½ Minuut laten trekken.

Drinkadvies

Een ontspannende thee voor elk moment van de dag. Zonder melk.

DARJEELING

Aan de voet van het besneeuwde Himalayagebergte in Noordoost-India ligt het heuvelachtige Darjeeling, 2000 m boven zeeniveau en in een zeer spectaculaire omgeving, omringd door ruim 20.000 ha theestruiken. Op heldere dagen is de Mount Everest in de verte te zien. Goede Darjeelingtheeën worden de champagnes onder de thee genoemd en hun subtiele muskaatsmaak en heerlijke aroma wordt tot stand gebracht door de unieke combinatie van het koele, mistige klimaat, hoogte, regenval, terrein en de kwaliteit van grond en lucht.

De meeste struiken die in Darjeeling worden verbouwd, worden gekweekt uit Chinees zaad, Chinese hybriden, of hybridische Assamstruiken. De Chinese planten zijn beter bestand tegen koude en zijn te vinden in de hogergelegen plantages van Noord-Darjeeling, waar sommige struiken op meer dan 2000 m hoge hellingen groeien. Op de zuidelijke plantages, gelegen op lagere heuvels, gedijt de Assamplant goed door de overdadige regenval. Darjeelings 102 tuinen produceren ca. 16.534,7 ton thee per jaar. De pluksters –altijd vrouwen– beginnen 's morgens vroeg en werken soms op terrashellingen die geleidelijk oplopen met een hoek van 45°.

Vanwege het klimaat en de hoge ligging groeien de theestruiken in Darjeeling niet het

Theeplantage in Darjeeling.

hele jaar door. De thee wordt geplukt van april tot oktober, wanneer de winterrust begint en de groeit stopt. De nieuwe groei begint na de eerste lichte voorjaarsregen in maart, waarna de eerste pluk plaatsvindt. De tweede pluk geschiedt in mei en juni. De moesson, die het gebied half juni bereikt en aanhoudt tot eind september, geeft een totale regenval van 300-490 cm. Tijdens deze periode geproduceerde theeën bevatten veel vocht en zijn van iets mindere kwaliteit. De bladeren worden op traditionele wijze bewerkt en zijn dan bruinzwart en stijfgerold met veel gouden puntjes.

First Flush Darjeeling

De eerste nieuwe loten van de struiken worden in april geplukt. Deze eerste theeën van het seizoen zijn zeer gezocht en worden verkocht tegen ongelooflijk hoge prijzen op veilingen, waar rijke Indiase kopers opbieden tegen internationale handelaren om deze bijzondere thee in hun bezit te krijgen. Enkele van de beste eerstepluk-Darjeelings gaan naar Duitsland, waar ze sinds de jaren '80 zeer gewaardeerd worden, en naar Rusland. Eerstepluk-Darjeeling wordt vaak net zo verhandeld en geïmporteerd als Beaujolais. De nieuwe levering van de lang verwachte oogst wordt twee tot vier weken na de productie (zeker vier weken eerder dan gewoonlijk) per vliegtuig vervoerd en geserveerd bij speciale theeproeverijen en afternoon teas die veel publiciteit trekken.

Castleton First Flush

Kenmerken

Perfecte groenbruine bladthee met veel puntjes uit een van meest prestigieuze tuinen van deze streek. Geeft een voortreffelijk aroma. Lichte muskaatsmaak.

Bereiding

½ Tl voor 150 ml water van 95 °C. 2-3 Minuten laten trekken.

Drinkadvies

Zonder melk, als middagthee. Past perfect bij gerookte zalm en bij verse aardbeien met slagroom.

Theepluksters in Darjeeling.

Bloomfield First Flush

Kenmerken

Een uitstekende thee uit deze bekende tuin. Mooie bladthee met volop witte puntjes. De subtiele, scherpe smaak is typerend voor een eerstepluk-Darjeeling.

Bereiding

½ Tl voor 150 ml water van 95 °C. 2-3 Minuten laten trekken.

Drinkadvies

Een middagthee. Zonder melk drinken.

Margaret's Hope

Kenmerken

Een zeer gewaardeerde thee uit een beroemde tuin. Zeer aantrekkelijke, groenbruine witpuntthee. Zeer helder, licht aftreksel en een zachte, verfijnde smaak.

Bereiding

1 Tl voor 150 ml water van 95 °C. 2-3 Minuten laten trekken.

Drinkadvies

Een middagthee. Zonder melk drinken.

Andere aanbevolen tuinen

Ambootia, Badamtam, Balasun, Gielle, Goomtee, Gopaldhara, Kalej Valley, Lingia, Millikthong, Mim, Namring, Orange Valley, Pandam, Seeyok, Singtom, Soureni, Springside en Thurbo.

TUSSENPLUK-DARJEELING

Tussenpluk-Darjeeling wordt geplukt in april en mei en geeft een smaak die het midden houdt tussen de frisheid en scherpte van de jonge bladeren van de eerste pluk en de rijpheid van de tweede pluk van het begin van de zomer. Deze theeën zijn niet gemakkelijk te vinden, maar als u in de gelegenheid bent zeer de moeite waard. Zonder melk drinken.

Second Flush Darjeeling

De tweede pluk vindt plaats in mei en juni en levert voortreffelijke theeën op die door velen beschouwd worden als de allerbeste Darjeelings. Deze theeën hebben een rondere, fruitiger, rijpere en minder scherpe smaak dan de vroegere theeën. De theeblaadjes zijn donkerbruin met veel witte puntjes.

Namring

Kenmerken

Mooie bladthee met een fruitige, uitgebalanceerde smaak.

Bereiding

1 Tl voor 150 ml water van 95 °C. 3 Minuten laten trekken.

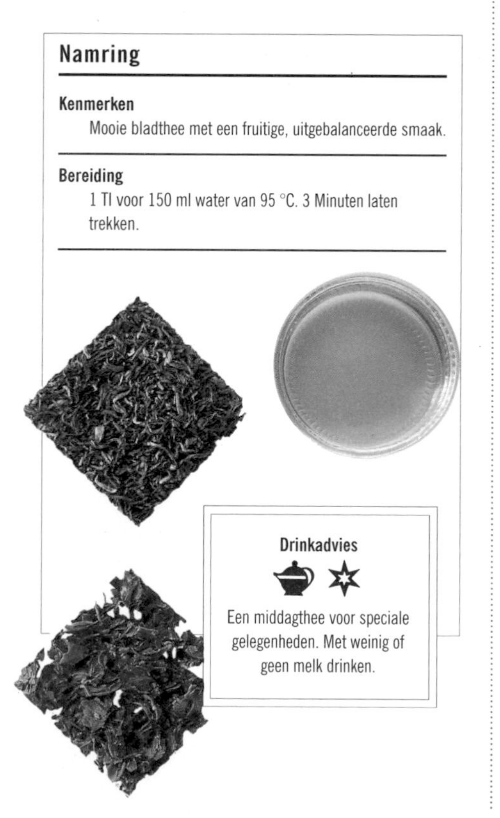

Drinkadvies

Een middagthee voor speciale gelegenheden. Met weinig of geen melk drinken.

Puttabong

Kenmerken

Zeer zacht smakend aftreksel met een uitgesproken muskaatsmaak. Een van de beste tweedepluk-Darjeelings.

Bereiding

1 Tl voor 150 ml water van 95 °C. 3 Minuten laten trekken.

Drinkadvies

Een thee voor elk moment van de dag; zonder melk drinken.

Andere aanbevolen tuinen

Badamtan, Balasun, Bannockburn, Castleton, Gielle, Glenburn, Jungpana, Kalej Valley, Lingia, biologische Makaibari, Moondakotee, Nagri, Phoobsering, Risheehat, Singbulli, Snowview, Soom, Teesta Valley, Tongsong en Tukdah.

HERFST-DARJEELING

De herfstpluk geschiedt in oktober en november en levert na bewerking uitstekende donkerbruine blaadjes op. Het aftreksel is koperkleurig, veel donkerder dan de vroegere theeën.

Margaret's Hope

Kenmerken

Groot donkerbruin blad met een ronde, zeer volle smaak en een heerlijk aroma.

Bereiding

1 Tl voor 150 ml water van 95 °C. 3 Minuten laten trekken.

Drinkadvies

Kan de hele dag gedronken worden, met weinig of geen melk.

Andere aanbevolen tuinen

Sungma en Pussimbing.

DARJEELINGMELANGE

Theeën uit verschillende plukseizoenen en Darjeelingtuinen worden vermengd tot de unieke smaak met het heerlijke aroma en de hoge kwaliteit waar de streek zo beroemd om is.

Darjeelingmelange

Kenmerken

Verfijnde melange van theeën uit de beste tuinen. Geeft een licht aftreksel met een verfijnde, herkenbare muskaatsmaak en een uitgesproken aroma.

Bereiding

1 Tl voor 150 ml water van 95 °C. 3 Minuten laten trekken.

Drinkadvies

Een middagthee. Met weinig of geen melk drinken.

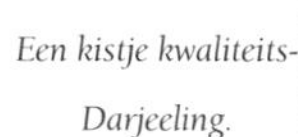

Een kistje kwaliteits-Darjeeling.

GROENE DARJEELING

Hoewel er in Darjeeling hoofdzakelijk zwarte thee geproduceerd wordt, verwacht men vanwege de belangstelling voor de 'gezonde' groene thee een groeiende vraag naar goede groene thee. Darjeeling is slechts een van de vele productiegebieden in India waar nu ook groene thee wordt geproduceerd.

Ayra

Kenmerken

Een zeldzame thee uit een bekende tuin. Geeft een aftreksel dat wel lijkt opdat van Japanse Sencha. Een heerlijk aroma, verfijnde smaak en een zachte afdronk.

Bereiding

2 Tl voor 150 ml water van 70 °C. 3 Minuten laten trekken.

Drinkadvies

Zonder melk drinken, als digestief of als verfrissende drank op elk moment van de dag.

Andere aanbevolen tuinen

Risheehat.

DOOARS

Dooars is een kleine provincie ten westen van Assam. De lowgrown theeën die er geproduceerd worden zijn donker en vol van smaak, maar hebben minder karakter dan Assamthee. Het zijn goede theeën voor overdag, die lekker zijn als ochtend- of middagthee.

Good Hope

Kenmerken

Fris aftreksel met bloemensmaak en mooie kleur.

Bereiding

1 Tl voor 150 ml water van 95 °C. 3-4 Minuten laten trekken.

Drinkadvies

Een thee voor overdag waar een wolkje melk in kan.

NILGIRI

Het Nilgirigebergte is een verbluffend mooie, lage bergketen in de zuidelijke punt van India. De keten loopt van de staat Kerala, waar ook thee wordt geproduceerd tot in de staat Tamil Nadu. Tussen de bergen en de heuvels liggen golvende velden en dichte jungles waar kuddes olifanten rondzwerven. De theeproductie begon in dit gebied in 1840, toen kolonel John Ouchterloney tijdens een verkenningstocht aan de voet van het Nilgirigebergte een ongerept woud ontdekte met vele rivieren en stroompjes. Met een hoogte van circa 1500 meter en ongeveer 200 centimeter regen per jaar was het gebied ideaal voor het verbouwen van thee en koffie. Ouchterloney's broer James plantte de struiken, importeerde arbeidskrachten en voedsel en begon met de productie. Het beroemde vakantieoord Ootacamund ligt in deze heuvels en wordt liefkozend 'Ooty'

De Nilgiri Queen, tuffend over het Glendale Estate in Nilgiri.

Karakteristieke theeveld in Nilgiri met schaduwrijke bomen en grenzend aan de jungle.

genoemd door de plaatselijke planters en de toeristen die er het hele jaar door komen.

Tegenwoordig groeien er circa 25.000 ha theestruiken op hoogten van 300 tot 2000 meter tussen de eucalyptussen, cipressen en blauwe gombomen. Ze produceren zo'n 61.729,5 ton thee per jaar en maken dit gebied daarmee tot India's grootste theeproducerende gebied na Assam. Elk plateau, elke helling en elke vallei is beplant met struiken die het hele jaar door groeien. De meeste plantages krijgen twee moessons per jaar en dus zijn er ook twee belangrijke plukperioden: in april-mei, wanneer ongeveer 25 procent van de jaarlijkse oogst wordt geplukt, en in september-december, wanneer nog eens 35-40 procent wordt geplukt. Verder wordt er het hele jaar doorgeplukt. Het zijn deze omstandigheden die de thee zijn unieke smaak geven.

Nilgiri produceert fijne, smakelijke theeën met heldere, frisse aftreksels en een gladde, ronde, milde smaak. Vanwege de krachtige smaak zijn ze ideaal voor vermenging met lichtere theeën.

Nunsuch

Kenmerken

Thee met grote bladeren en een fruitig, helder, smakelijk aftreksel.

Bereiding

1 Tl voor 150 ml water van 95 °C. 3-4 Minuten laten trekken.

Drinkadvies

Op elk moment van de dag, met wat melk.

Andere aanbevolen tuinen

Chamraj, Corsley, Havukal, Pascoes Woodlands, Tigerhill en Tungmullay.

SIKKIM

Dit kleine Indiase staatje produceert theeën die op Darjeeling lijken, maar voller en fruitiger smaken. Ze worden niet veel geëxporteerd en zijn daarom vaak moeilijk te vinden.

Temi

Kenmerken

Traditionele Darjeeling-achtige thee van zeer goede kwaliteit met mooie blaadjes en veel gouden puntjes. Geurig aftreksel met een fruitige, bijna honingachtige smaak.

Bereiding

1 Tl voor 150 ml water van 95 °C. 3 Minuten laten trekken.

Drinkadvies

Bij speciale gelegenheden. Drink hem puur of met een beetje melk.

TERAI

Teraithee wordt verbouwd op een plateau even ten zuiden van Darjeeling. De thee geeft een rijkgekleurd aftreksel met een kruidige smaak en wordt veel gebruikt in melanges.

Ord

Kenmerken
Mooi licht, koperkleurig aftreksel met een sterke smaak.

Bereiding
1 Tl voor 150 ml water van 95 °C.
3-4 Minuten laten trekken.

Drinkadvies
Drinken met melk, als ochtendthee.

TRAVANCORE

Travancore ligt ongeveer even hoog als Sri Lanka en produceert theeën met soortgelijke kenmerken. De thee doet tegelijkertijd denken aan Noord-Indiase thee.

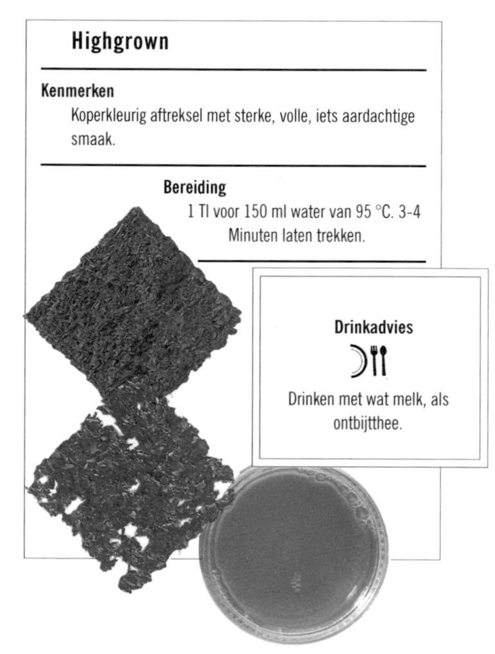

Highgrown

Kenmerken
Koperkleurig aftreksel met sterke, volle, iets aardachtige smaak.

Bereiding
1 Tl voor 150 ml water van 95 °C. 3-4 Minuten laten trekken.

Drinkadvies
Drinken met wat melk, als ontbijtthee.

ZUID-INDIASE THEE

Theeën uit andere streken in het zuiden van India –Kerala, Madras en Mysore– worden vaak verkocht als Travancore. De Tea Board of India promoot alleen Darjeelings, Assams en Nilgiri als pure, onvermengd drinkbare thee. Alle theeproducerende gebieden in Zuid-India liggen op heuvelachtig terrein en bestaan uit zo'n 40.000 afzonderlijke akkers. Jaarlijks wordt er 192.904,6 ton thee geproduceerd, waarvan 25 procent geëxporteerd wordt.

SRI LANKA

De thee uit de hoogstgelegen streek van het eiland wordt wel de champagne onder de Ceylonthee genoemd.

TOT 1860 WERD ER OP HET EILAND SRI LANKA, toen nog Ceylon, voornamelijk koffie verbouwd. Maar in 1869 werd het merendeel van de koffieplanten verwoest door de schimmel *Hemileia vastatrix* en waren de plantage-eigenaren gedwongen op andere gewassen over te gaan. De eigenaren van de Loolecondera-plantage waren al sinds 1850 geïnteresseerd in thee en in 1866 kreeg James Taylor, een pas gearriveerde Schot, de opdracht in 1867 de eerste theezaden te zaaien op 7,7 ha grond.

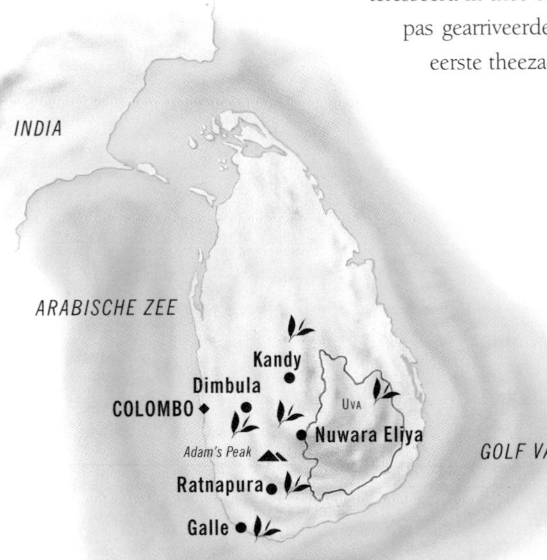

Taylor had in Noord-India wat basiskennis over thee opgedaan en experimenteerde wat met de bewerking, waarbij hij zijn veranda als fabriekje gebruikte en de bladeren met de hand op tafel rolde. Het geoxideerde blad werd gevuurd op kleien stoven boven houtskoolvuren, met de bladeren op roosters van gaas. Zijn eerste theeën werden in de streek zelf verkocht en vielen zeer in de smaak. In 1872 had Taylor een volledig toegeruste fabriek en in 1873 werden zijn eerste kwaliteitstheeën tegen een goede prijs verkocht op de veiling in Londen. Dankzij zijn toewijding en volharding was Taylor grotendeels verantwoordelijk voor het vroege succes van de theeoogst op Ceylon. De productie steeg van slechts 13 kg in 1873 naar 81,3 ton in 1880 en 22.899,8 ton in 1890.

De pluksters verzamelen blaadjes in hun manden.

De meeste theetuinen in Ceylon liggen op 1000 tot 2650 meter in twee gebieden op het zuidwestelijke deel van het eiland, ten oosten van Colombo en bij Galle in het zuiden. Op de hete, vochtige vlakten en heuvels produceren de theestruiken elke zeven à acht dagen nieuwe loten en kan er het hele jaar door geplukt worden. De beste theeën worden geplukt van eind juni tot eind augustus in het oosten en van begin februari tot half maart in het westen.

Tot 1971 was meer dan 80 procent van de theeplantages op het eiland in bezit van Britse bedrijven. In 1971 introduceerde de regering van Sri Lanka een landhervormingswet die de staat zeggenschap gaf over het merendeel van de plantages (waar ook rubber en kokosnoten voor de export werden verbouwd), waarna er nog een derde privébezit bleef. Sinds 1990 is er een herstructureringsprogramma in werking om de bedrijven uit de particuliere sector (zowel binnen- als buitenlandse) aan te stellen als beheerders van staatsplantages. Het doel op de lange termijn is om de beherende bedrijven de meeste, zoniet alle, financiële verantwoordelijkheid en beheer van de plantages in Sri Lanka te laten dragen, terwijl de overheid evenwel de eigendomsrechten behoudt.

De extreme politieke, industriële en economische problemen van de laatste jaren hebben ervoor gezorgd dat Sri Lanka zakte van zijn positie als grootste producent ter wereld naar de achtste plek in 1993. De theeplanters dienen tegenwoordig rekening te houden met productiemethoden, verscheidenheid van producten en exportmarkten. Hoewel Groot-Brittannië ooit Sri Lanka's beste klant was, gaat bijna 70 procent van de productie nu naar Rusland, het Midden-Oosten en Noord-Afrika. De Arabische markt gaf vroeger de voorkeur aan orthodoxe thee, maar de consumenten daar nemen geleidelijk de Europese voorkeur voor theezakjes over. Sri Lanka's uitstekende orthodoxe theeën, waarvan velen menen dat ze tot de beste ter wereld behoren, zijn niet geschikt voor theezakjes. In 1993 werd slechts 3 procent volgens de CTC-methode bewerkt en theeplanters moeten nu beslissen of ze op CTC-productie overgaan om een bredere markt te bereiken. Sommige fabrikanten denken dat er altijd een markt voor orthodoxe thee zal zijn; anderen denken dat CTC de beste optie is. Er worden ook nieuwe klanten gezocht voor de groeiende selectie verpakte thee die momenteel verkrijgbaar is in zakjes, doosjes, mandjes, voordeelverpakkingen, rieten verpakkingen, houten kistjes, blikken en trommels. Producten met 100 procent Ceylonthee worden voorzien van het leeuwenlogo dat ontworpen is door de Ceylon Tea Board, dat het land van herkomst garandeert en de reputatie van Sri Lanka's kwaliteitstheeën beschermt.

Het leeuwenlogo van Ceylon Tea.

Sri Lanka's beste thee komt voornamelijk van struiken die op hoger dan 1300 m groeien. Deze struiken groeien langzamer in het koelere, mistige klimaat en zijn moeilijker te oogsten vanwege de steile hellingen waarop ze geplant zijn.

Er zijn zes belangrijke theeproducerende streken: Galle, in het zuiden; Ratnapura, 90 km ten oosten van de hoofdstad Colombo; Kandy, de laaggelegen streek nabij de oude hoofdstad; Nuwara Eliya, het hoogstgelegen gebied waar de beste thee geproduceerd wordt; Dimbula, ten westen van de centraalgelegen bergen; en Uva, ten oosten van Dimbula.

De theeën van elke streek hebben hun eigen smaak-, geur- en kleurkenmerken. Lowgrown theeën, verbouwd op 500 tot 600 meter, zijn goed van kwaliteit en geven een goede kleur en sterkte, maar missen het kenmerkende aroma en de heldere frisse smaak van de hoger verbouwde theeën en worden meestal voor melanges gebruikt. Middlegrown theeën, verbouwd op 1000 tot 2500 meter, zijn de allerbeste die Sri Lanka te bieden heeft en geven een mooi goudkleurig aftreksel en een intense, krachtige smaak. Naast uitstekende zwarte thee produceren sommige plantages ook witte thee met een zeer licht, strokleurig aftreksel, die zonder melk het lekkerst is. Alle zwarte theeën uit Sri Lanka zijn het lekkerst met een beetje melk.

DIMBULA

Evenals Nuwara Eliya heeft Dimbula in augustus en september te maken met de moesson en worden de beste theeën tijdens de droge maanden januari en februari geproduceerd. Deze theeën staan bekend om hun volheid, kracht en sterke aroma.

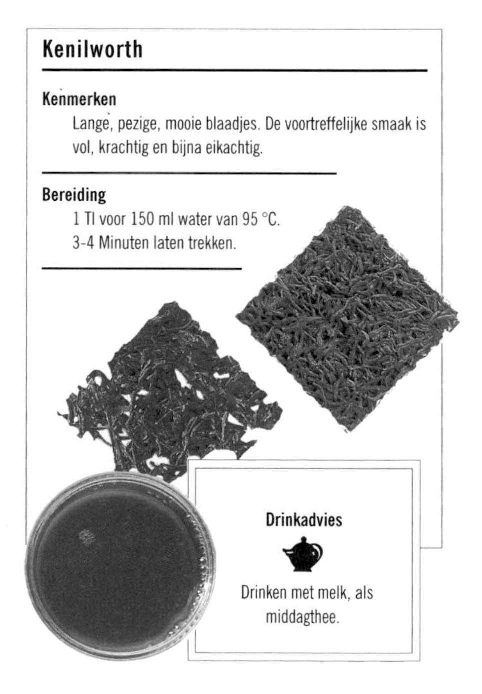

Andere aanbevolen tuinen

Diyagama, Loinorn, Pettiagalla, Redalla, Somerset, Strathspey en Theresia.

Galle

Dit gebied in het zuiden van het eiland is gespecialiseerd in Flowery Orange Pekoes en Orange Pekoes met goedgemaakte blaadjes van regelmatige afmetingen die een ambergouden aftreksel geven met een geurig aroma en een verfijnde, zachte, subtiele smaak.

Allen Valley

Kenmerken

Mooie bladthee die een zacht, aromatisch aftreksel geeft.

Bereiding

1 Tl voor water van 95 °C. 3-4 Minuten laten trekken.

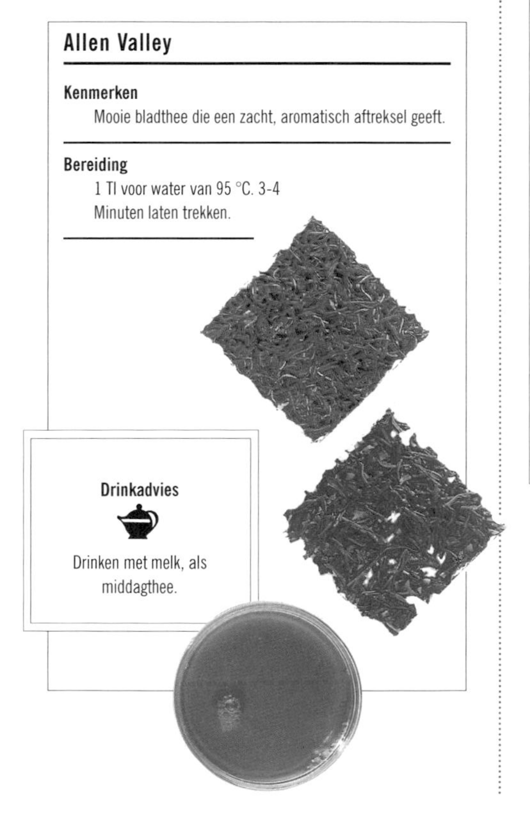

Drinkadvies

Drinken met melk, als middagthee.

Devonia

Kenmerken

Een goedgemaakte bladthee met een mooi, goudkleurig aftreksel en een subtiele, aromatische smaak.

Bereiding

1 Tl voor 150 ml water van 95 °C. 3-4 Minuten laten trekken.

Drinkadvies

Verrukkelijk, met een beetje melk, bij de 'afternoon tea'.

Galaboda

Kenmerken

Regelmatig blad met een mooi aftreksel met een goede kleur, een heerlijk aroma en een volle, milde smaak.

Bereiding

1 Tl voor 150 ml water van 95 °C. 3-4 Minuten laten trekken.

Drinkadvies

Een thee voor elk moment van de dag. Lekker met wat melk.

Andere aanbevolen tuinen

Berubeula.

Nuwara Eliya

De thee uit deze hoogstgelegen streek van het eiland wordt dikwijls de champagne onder de Ceylonthee genoemd. Er wordt het hele jaar door geplukt, maar de beste thee wordt gemaakt van de pluk in januari en februari. De beste theeën uit dit gebied geven een rijk, goudkleurig, voortreffelijk aftreksel; zacht, helder en met een verfijnde geur.

Een theeplukster op Ceylon (Sri Lanka).

Nuwara Eliya Estate

Kenmerken

Pure, frisse smaak en heerlijk aroma.

Bereiding

1 Tl voor 150 ml water van 95 °C. 3-4 Minuten laten trekken.

Andere aanbevolen tuinen

Gastotte, Lovers Leap en Tommagong.

Ratnapura

In Ratnapura produceert men lowgrown thee die met name in melanges wordt gebruikt, maar onvermengd, met een beetje melk, ook goed smaakt.

Ratnaputa

Kenmerken

Lange blaadjes met een zoetig aroma en een subtiele, zachte smaak.

Bereiding

1 Tl voor 150 ml water van 95 °C. 3-4 Minuten laten trekken.

UVA

In Uva wordt thee geproduceerd met een milde smaak, die een wereldwijde reputatie heeft gekregen. De beste thee wordt geplukt tussen juni en september. De droge wind die tijdens deze maanden in de richting van Uva waait geeft de thee zijn verfijnde smaak en aroma.

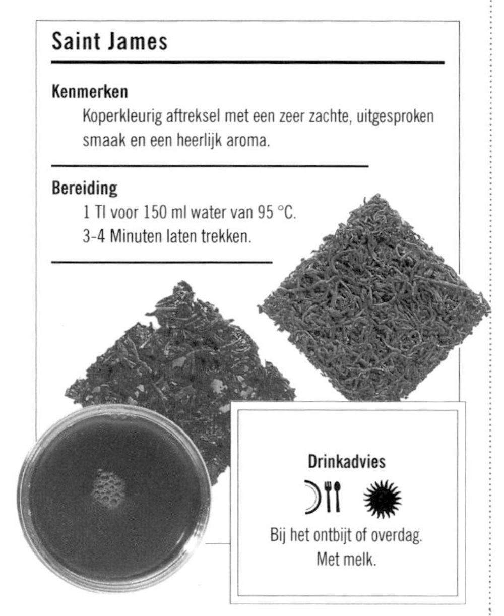

Saint James

Kenmerken

Koperkleurig aftreksel met een zeer zachte, uitgesproken smaak en een heerlijk aroma.

Bereiding

1 Tl voor 150 ml water van 95 °C.
3-4 Minuten laten trekken.

Andere aanbevolen tuinen

Adawatte, Aislaby, Attempettia, Blairmond, Bombagalla, Dyraaba, High Forest en Uva Highlands.

CEYLONMELANGES

In navolging van een traditie die aan het eind van de negentiende eeuw werd ingesteld door Sir Thomas Lipton verkopen diverse theepakkers Ceylonmelanges nog steeds als Ceylon Orange Pekoe of Ceylon BOP, soms met en soms zonder de plantagenaam. Een goede melange geeft een helder, rijk, koperkleurig aftreksel met een lekkere, frisse smaak. Wilt u er zeker van zijn dat de voorverpakte thee die u koopt 100 procent Ceylonthee is, let dan op het leeuwenlogo van de Ceylon Tea Board.

Een prachtige theestruik.

HET
VERRE
OOSTEN

CHINA

De grootste variatie aan theeën van de beste kwaliteit, waarvan vele nog steeds met de hand worden geplukt en bewerkt.

DE COMMERCIËLE PRODUCTIE VAN THEE IN CHINA begon lang voor het begin van onze jaartelling, toen Chinese kooplui al meer dan 8000 verschillende theesoorten onderscheidden op basis van de vijf verschillende productiemethoden, twee klassen productiekwaliteit, vier verschillende bladklassen en tweehonderd plaatsnamen. Chinese boeren verbouwden thee op elk mogelijk stukje grond.

Het handmatig vuren van theë in het zeventiende-eeuwse China.

Tot het eind van de negentiende eeuw bleven de technieken die men voor de verbouw gebruikte praktisch onveranderd. Het zaad werd in oktober verzameld, ontkiemde tijdens de wintermaanden en werd in het voorjaar in keurige rijtjes uitgeplant. Grotere plantages werden aangelegd op noordelijke en oostelijke hellingen en tussen de struiken werd gierst en tarwe verbouwd om voor schaduw te zorgen. In de koude wintermaanden bond men stro rond de struiken om ze tegen de vorst te beschermen. Er is een oud Chinees gezegde dat zegt: "De beste theeën komen van hoge bergen"; dit is beslist waar, maar het weerhield de Chinezen er niet van overal thee te verbouwen, zelfs aan de rand van drukke steden of in extreem ontoegankelijke en afgelegen gebieden.

Een beschrijving door Robert Fortune in zijn in 1852 uitgegeven boek *A Journey to the Tea Countries of China*, geeft een goede indruk van hoe de thee verwerkt werd:

"Tijdens de oogstseizoenen kan men op de helling van elke heuvel, als het droog weer is, kleine groepjes familieleden bezig zien met het plukken van de theebladeren... De ijzeren droogpannen en ovens zijn rond en ondiep en zijn in feite dezelfde of welhaast dezelfde als de pannen die de inheemse bevolking gebruikt voor het koken van rijst.

De pannen worden heet zodra de warme lucht eronder begint te circuleren. Dan wordt er een hoeveelheid bladeren uit een zeef of mand in de pannen gegooid, en gekeerd en omgeschud. De hitte heeft onmiddellijk effect op de bladeren. Dit deel van het proces duurt ongeveer vijf minuten, tijdens welke periode de bladeren hun stevigheid verliezen en zacht en buigzaam worden. Dan worden ze uit de pannen genomen en op een tafel gegooid waarvan het bovenste gedeelte gemaakt is van gespleten bamboe... nu verzamelen zich drie of vier personen rond de tafel en wordt de stapel bladeren verdeeld in vele pakketjes, waarvan ieder er zoveel neemt als hij maar in zijn handen kan houden, waarna het rollen aanvangt..."

Sinds de culturele revolutie werden er theecoöperaties opgericht en zijn in de meeste theefabrieken de eeuwenoude technieken vervangen door machinale verwerkingsmethoden. Op sommige plaatsen wordt de thee echter nog steeds met de hand verwerkt.

Tegenwoordig wordt er thee verbouwd in achttien streken: Anhui, Fujian, Gansu, Guangdong, Guizhou, Hainan, Henan, Hubei, Hunan, Jiangsu, Jiangxi, Shaanxi, Shandong, Sichuan, Yunnan, Zhejiang, Tibet en Guangxi Zhuang. De belangrijkste streken zijn Zhejiang, Hunan, Sichuan, Fujian en Anhui. De productie is geheel in handen van de staat en op de verpakking wordt in detail vermeld welk kantoor verantwoordelijk was voor de productie en het op de markt brengen van dit ene zakje thee.

Deze staatscoöperaties produceren goede oolong, zwarte en groene theeën die meestal vermengd worden om elk jaar dezelfde kwaliteit te verkrijgen. Sommige van deze standaardtheeën zijn van voortreffelijke kwaliteit en worden grotendeels geëxporteerd. Circa 80% van de jaarlijkse productie bestaat uit groene thee voor de binnenlandse markt. De meeste zwarte en oolongthee is bestemd voor de export en wordt vaker verkocht na direct contact met theepakkers dan op de veiling.

Voor het vuren worden de blaadjes losgemaakt.

China's theeën van de eerste pluk worden geplukt tussen half april en half mei. Deze oogst zou de beste thee geven en levert ongeveer 55 procent van de jaarlijkse productie op. De tweede pluk geschiedt aan het begin van de zomer en in sommige gebieden wordt er in de herfst nog een derde keer geplukt.

Theeplantage in Sichuan.

Chinese thee wordt meestal niet verkocht onder de naam van de plantage, maar onder een naam die de bewerkingsmethode en kwaliteit aangeeft. Deze namen kunnen nogal verwarrend zijn, omdat er door de eeuwen heen zowel Fujiaans als Kantonees en standaard Chinees is gebruikt. Elke provincie heeft zo zijn eigen naam, spelling en uitspraak voor de thee. Als gevolg hiervan verwijzen namen die er totaal anders uitzien en klinken vaak naar exact dezelfde thee. Een bijkomende moeilijkheid is het feit dat één thee zelfs in het Chinees meerdere namen kan hebben: een gewone naam, een historische of legendarische naam en een naam die extra geografische informatie geeft.

Dus een thee die in het Westen als Chunmee (en ook als Chun Mei) te koop is, heet Zhenmei in het Pinyin, Janmei in het Kantonees en wordt ook vaak Wenkbrauwthee genoemd vanwege de vorm van het bewerkte blad. En Pingshui Gunpowder, geproduceerd in Pingshui, een stad in Shanghai, heet in het Pinyin Pinshui Zhucha (Parelthee) en in het Kantonees Ping Shui Chue Cha.

Evenals de individuele namen heeft elke thee die op de markt komt ook een klassennummer dat aangeeft dat de thee aan een bepaalde norm voldoet. Dit betekent dat de thee kan worden gekocht zonder dat de koper eerst een proefmonster probeert; kopers kunnen er verzekerd van zijn dat de thee niet op de markt wordt gebracht als hij thee deze norm niet haalt.

De export van Chinese thee neemt toe met de groeiende belangstelling van de theekenners, die nog maar net de verbazingwekkende verzameling soorten en smaken hebben ontdekt. De export is gegroeid van 151.016 ton in 1989 naar meer dan 225.973,6 ton in het begin van de jaren '90. Na zijde en graan is thee is China's belangrijkste exportproduct. De grootste afnemers zijn Marokko, de VS, Tunesië, Polen, Hongkong, de voormalige Sovjet-Unie en Groot-Brittannië. De verkoop in de VS groeit gestaag en zeldzame Chinese theeën vinden nu hun weg naar postordercatalogi en verkooppunten, waar niet alleen meer zwarte en oolongthee verkocht wordt, maar ook zeldzamere witte theeën als Silver Dragon en groene theeën met exotische namen als Tiantai wolk en mist, en Geweldige drakenbron, verschillende soorten jasmijnthee en geperste theeën zoals Tuo en Pu-erh.

Pu-erh wordt overigens meestal gedronken vanwege zijn geneeskrachtige eigenschappen. Deze thee schijnt goed te zijn tegen diarree, indigestie en een hoog cholesterolgehalte. Het is een halfgefermenteerde oolongthee die in verschillende vormen verkocht wordt, bijvoorbeeld vogelnestjes en bolletjes (zie blz. 160-1).

In een fabriek in Anxi: de thee wordt gesorteerd.

Chinese witte thee

Pai Mu Tan Imperial (Balmudan, Witte pioen)

Deze zeldzame witte thee wordt gemaakt van zeer kleine knopjes en blaadjes die in het vroege voorjaar worden geplukt, net voor ze opengaan. Nadat ze gestoomd en gedroogd zijn, zien ze eruit als miniboeketjes van witte bloempjes met kleine blaadjes.

Kenmerken

Deze witte thee uit Fujian geeft een helder, licht aftreksel met een fris aroma en een zachte, fluwelen smaak.

Bereiding

2 Tl voor 150 ml water van 85 °C. 7 Minuten laten trekken.

Drinkadvies

Zonder melk en suiker, als gezond digestief na de maaltijd of als lichte middagthee.

Yin Zhen (Yinfeng, Zilveren naalden)

Deze thee, ook afkomstig uit Fujian, wordt gemaakt van jonge knopjes vol zilverwitte haartjes. Vanwege zijn zilverkleur wordt witte thee ook wel verkocht als Silvery Tip Pekoe, China White of Fujian White.

Kenmerken

Dit is de perfecte witte thee. De blaadjes, die inderdaad op zilveren naalden lijken, worden slechts twee dagen per jaar geplukt en geheel met de hand verwerkt. Deze thee is erg duur, maar verrukkelijk.

Bereiding

2 Tl voor 150 ml water van 85 °C. 15 Minuten laten trekken.

Drinkadvies

Voor elk moment van de dag. Zonder melk of suiker, als verfrissend digestief.

CHINESE GROENE THEE

Chun Mee (Chun Mei, Zhenmei, Edele wenkbrauwen)

Deze thee heeft zijn naam te danken aan de vorm van de verwerkte blaadjes. Bij de verwerking van deze thee is er groot vakmanschap voor nodig om de blaadjes lang genoeg en bij de juiste temperatuur in de juiste vorm te rollen.

Kenmerken

Lange, fijne, lichtgroene blaadjes met een helder, lichtgeel aftreksel en een zachte smaak. Al jaren populair bij China's buitenlandse klanten.

Bereiding

2 Tl voor 150 ml water van 70 °C. 3-4 Minuten laten trekken.

Drinkadvies

Puur of met munt. Een verfrissend drankje voor elk moment van de dag.

Gunpowder (Zhucha, Parelthee)

Deze thee dankt zijn naam aan het feit dat de compacte bolletjes op buskruitkorrels lijken. De meeste thee wordt geproduceerd in Pingshui in de provincie Zhejian en omliggende streken.

Kenmerken

De korreltjes gaan in heet water open en geven een sterk, groenkoperen aftreksel met een scherpe smaak.

Bereiding

1-2 Flinke tl voor een volle theepot met water van 70-75 °C. 3-4 Minuten laten trekken.

Drinkadvies

Middag- of avondthee; of gebruiken voor ijsthee met suiker en citroen of met suiker en munt (Marokkaans wijze)

Lung Ching (Lingjing, Drakenbron)

Deze beroemde thee wordt geproduceerd in de provincie Zhejiang, in het dorpje Drakenbron. De thee won een gouden medaille op de bijeenkomst van het Internatiale Instituut voor Kwaliteitsselectie in 1988.

Kenmerken

Deze thee werd al genoemd door Lu Yu en is beroemd om zijn platte groene bladeren, zijn lichtgroene kleur en zijn verrukkelijke aroma en milde smaak. Heldergeel met een wat zoete nasmaak.

Bereiding

2 Tl voor 150 ml water van 70 °C. 3 Minuten laten trekken.

Drinkadvies

Verfrissende thee voor elk moment van de dag, of als digestief na een zware maaltijd.

Pi Lo Chun (Biluochun, Groene-slakkenlente)

Een zeldzame thee die overal ter wereld bekend is om zijn slakachtige uiterlijk. De struiken groeien tussen perziken-, pruimen- en abrikozenbomen, waardoor de jonge blaadjes de geur van de vruchtenbloesems opnemen. Met elke knopje wordt er slechts één blaadje geplukt.

Kenmerken

De bladeren en knoppen worden met de hand gerold tot kleine slakachtige spiraaltjes, met fijne, zilveren haartjes. Het geelgroene aftreksel heeft een unieke, frisse, zoetige smaak.

Bereiding

2 Tl voor 150 ml water van 70 °C. 3-4 Minuten laten trekken.

Drinkadvies

Puur, bij zeer speciale gelegenheden –niet alleen vanwege de hoge prijs, maar ook om de ongekende kwaliteit.

Xinyang Maojian

Het mistige, bewolkte klimaat van het bergachtige gebied Xinyang in de provincie Henan levert thee op met een fris aroma en een subtiele nasmaak. De blaadjes worden vakkundig met de hand gerold.

Kenmerken

Mooie, stevige reepjes blad die een oranjegroen aftreksel met een fris aroma en een zachte smaak geven.

Bereiding

2 Tl voor 150 ml water van 70 °C. 3 Minuten laten trekken.

Drinkadvies

Voor speciale gelegenheden. Zonder melk en suiker.

Taiping Houkui (Tai Ping Hau Fui)

De beste groene thee uit de provincie Anhui. Hoewel deze thee officieel niet gearomatiseerd is, nemen de bladeren de smaak op van de talloze wilde orchideeën die er in de bergen groeien wanneer de struiken hun jonge blaadjes openvouwen. Deze thee won in 1915 een gouden medaille tijdens de Panama Pacific International Exhibition en is wereldberoemd.

Kenmerken

In heet water tonen de donkergroene, rechte, puntige bladeren trekken hun roze aderen. Een heerlijke orchideeënsmaak.

Bereiding

2 Tl voor 150 ml water van 70 °C. 3 Minuten laten trekken.

Drinkadvies

Een lichte, subtiele middagthee. Zonder melk en suiker.

Andere aanbevolen Chinese groene theeën

Dong Yang Dong Bai, Gaungdong, Guo Gu Nao, Huang Shan Mao Feng, Hu Bei, Hunan Green, Hyson, Pai Hou, Son Yang Ying Hao en White Downy.

CHINESE OOLONGTHEE

Fonghwang Tan-chung (Fenhuang Dancong, Fenghuang Select)

De plukkers klimmen in lange ladders om de bladeren uit de hoge, rechte bomen te plukken. De plaatselijke bevolking zet de thee sterk in kleine potjes. Voor het eerste aftreksel trekt de thee slechts een minuut, voor het tweede drie en voor het derde vijf minuten.

Kenmerken

De lange, gouden reepjes blad worden in water groen met roodbruine randjes. Het aftreksel is licht oranjebruin en het eerste aftreksel kan bitter smaken. Het tweede aftreksel is milder.

Bereiding

1 Tl voor 150 ml water van 95 °C. 5-7 Minuten laten trekken.

Drinkadvies

Een voortreffelijke, verfijnde avondthee.

Shui Hsien (Shuixian, Watergeest)

De boom waarvan men bladeren voor Shui Hsien plukt is een hoge boom met grote bladeren en één stam. De bladeren zijn donkergroen en glanzend en de knoppen dik, geelgroen en vol haartjes. Ze worden in Fujian zowel voor zwarte als witte thee gebruikt.

Kenmerken

Losse, gedraaide reepjes blad die een helder oranjebruin aftreksel met een zachte, wat kruidige smaak geven.

Bereiding

1 Tl voor 150 ml water van 95 °C. 5-7 Minuten laten trekken.

Drinkadvies

Zonder melk en suiker, 's ochtends of de hele dag door.

Ti Kwan Yin (Tieguanyin, Thee van de ijzeren godin van de genade)

Deze zeer bijzondere thee komt ook uit Fujian. Een verklaring van de naam is dat de 'ijzeren godin' in een droom aan een boer verscheen en hem zei in de grot achter haar tempel te kijken. Daar vond hij een theeloot die hij plantte en opkweekte. Dit is een van de populairste theeën van China.

Kenmerken

Stevige, gekrulde blaadjes die zich in kokend water ontvouwen tot groenbruine, gekartelde blaadjes. Het aftreksel is groenbruin en heeft een aromatische, milde smaak.

Bereiding

Doe 1 tl in een pot en giet er water van 95 °C bij. Giet het water onmiddellijk weer af en laat de blaadjes even ademen. Vul de pot opnieuw met kokend water en laat de thee 3-5 minuten trekken. De bladeren kunnen voor meerdere aftreksels gebruikt worden.

Drinkadvies

Een zeer bijzondere thee voor speciale gelegenheden. Zonder melk en suiker.

Pouchong (Pao Zhong, Baozhong)

Deze zeer kort gefermenteerde thee dankt zijn naam aan het feit dat de bladeren vroeger tijdens het fermenteren in papier werden gewikkeld. Hij komt van oorsprong uit Fujian en de bewerkingsmethode werd overgenomen door Taiwan.

Kenmerken

Lang, sierlijk zwart blad dat een zeer milde thee geeft met een diepgele kleur, een mild aroma en een zeer zachte, zoetige smaak.

Bereiding

1 Tl voor 150 ml water van 95 °C. 5-7 Minuten laten trekken.

Drinkadvies

Zonder melk, als middag- of avondthee.

Andere aanbevolen Chinese oolongs

China Fujian Dark Oolong, Dahongpao, Oolong Sechung en Wuyi Liu Hsiang (Liuxiang).

CHINESE ZWARTE THEE

Een theeproever in een proefkamer van Keemun.

Keemun-theestruiken.

Keemun

In 1915 won Keemun een gouden medaille tijdens de Panama Pacific International Exhibition. De gekweekte thee die in Anhui gekweekt wordt, is een 'gonfu' of 'congou' thee; dit betekent dat hij met extreem grote vakkundigheid (*gongfu*) wordt gemaakt om de dunne reepjes te krijgen zonder de bladeren te breken.

Kenmerken

De kleine, zwarte blaadjes geven een diepbruin aftreksel met een geurige smaak en een verfijnd aroma.

Bereiding

1 Tl voor 150 ml water van 95 °C. 5-7 Minuten laten trekken.

Drinkadvies

Heerlijk bij lichtgekruid eten en als digestief. Zonder melk en suiker. Een ideale avondthee.

Keemun Mao Feng

Mao Feng betekent 'haarpunt' en deze thee heeft dus nog fijnere reepjes handgerold blad dan de gewone Keemun.

Kenmerken

De zeldzaamste Keemunthee met mooie, goedgemaakte blaadjes die een subtiele, zeer verfijnde smaak geven.

Bereiding

1 Tl voor 150 ml water van 95 °C. 5-7 Minuten laten trekken.

Drinkadvies

Een avond- of ochtendthee die goed bij lichte maaltijden past.

Lapsang Souchong (Zengshan Xiaozhong)

Gerookte thee is een specialiteit van de provincie Fujian. De bladeren worden verflenst boven vuren van naaldhout en dan gevuurd en gerold. Ze worden in vaten geperst en afgedekt met lappen. Na het fermenteren worden ze gevuurd en weer gerold, in bamboe manden overgedaan en gerookt boven rokend naaldhout.

Kenmerken

Dikke, zwarte reepjes blad die een karakteristiek rokerig aroma en smaak en een dieprode kleur geven.

Bereiding

1 Tl voor 150 ml water van 95 °C. 5-7 Minuten laten trekken.

Drinkadvies

Met weinig of geen melk. Past bijzonder goed bij een Engels ontbijt en bij vis.

Andere aanbevolen gerookte Chinese theeën: Tarry Souchong en Yo Pao.

Jiuqu Wulong (Zwarte draak)

Jiuqu betekent 'beek met negen bochten,' de streek waar deze thee vandaan komt. Dit is een geheel gefermenteerde, zwarte gonfu-thee, maar vanwege zijn naam wordt hij soms ten onrechte bestempeld als oolong.

Kenmerken

Fijne, stevig gedraaide blaadjes die een koperrood aftreksel met een milde, subtiele, verfrissende smaak geven.

Bereiding

1 Tl voor 150 ml water van 95 °C.
5-7 Minuten laten trekken.

Drinkadvies

Zonder melk, als middag- of avondthee.

Sichuan Imperial

Sommige zwarte theeën uit China, zoals deze, worden op de markt gebracht met alleen de naam van de provincie waar ze geproduceerd worden. Dit geldt ook voor Guangdong Black, Hainan Black, Hunan Black en Fujian Black.

Kenmerken

Fijne, puntige blaadjes met een diepgekleurd aftreksel, een zacht aroma en een milde, bijna zoete smaak.

Bereiding

1 Tl voor 150 ml water van 95 °C.
5-7 Minuten laten trekken.

Drinkadvies

Een middagthee die het beste zonder melk gedronken kan worden.

Yunnan (Dianhong)

In de provincie Yunnan wordt al meer dan 1700 jaar thee geproduceerd en men vermoedt dat de theeplant van oorsprong uit deze streek komt. De theebomen voor de zwarte Yunnanthee hebben dikke knoppen en loten met dik, zacht blad.

Kenmerken

Zwarte blaadjes met veel gouden knoppen die een wat peperachtig, verkwikkend aftreksel met een uitgesproken aroma geven.

Bereiding

1 Tl voor 150 ml water van 95 °C. 5-7 Minuten laten trekken.

Drinkadvies

Een beetje melk; geschikt als ontbijt- of middagthee.

Andere aanbevolen Chinese zwarte thee:

Ching Wo, Ning Chow en Panyong.

CHINESE GEPERSTE THEE

Tuancha (Theebolletjes)

De bolletjes worden in verschillende grootten gemaakt; de grootste zijn ongeveer zo groot als een pingpongbal.

Kenmerken

Kleine theebolletjes met een aardachtige smaak en aroma.

Bereiding

Gebruik 750 ml water per bolletje. Laat het bolletje 5-7 minuten trekken in kokend water.

Drinkadvies

Zonder melk, als lichte, verfrissende drank op elk moment van de dag, met name na de maaltijd.

Tuancha.

Tuocha

Deze geperste thee in de vorm van een vogelnestje komt van oorsprong uit Yunnan. De bladeren worden in een kommetje geperst.

Kenmerken

Een klein vogelnestje. Geeft dezelfde aardachtige, natuurlijke smaak als andere Pu-erh-theeën.

Bereiding

Brokkel per 150 ml kokend water 1 tl af. Laat de thee 5 min. trekken. Zeef de thee boven de kopjes.

Drinkadvies

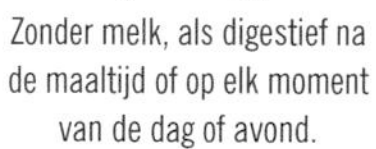

Zonder melk, als digestief na de maaltijd of op elk moment van de dag of avond.

Dschuan Cha (Tegelthee)

De tegel is meer decoratief dan praktisch. Hij wordt gemaakt door zwarte stofthee hydraulisch samen te persen.

Kenmerken

Geen bijzondere kwaliteiten. Meer gewaardeerd als curiosum dan om zijn smaak.

Bereiding

Laat 1 tl per persoon 3-4 minuten trekken in kokend water. Zeef de thee boven de kopjes.

Drinkadvies

Een thee voor elk moment van de dag. Met of zonder melk.

Theetegel.

INDONESIË

Lichte theeën met een goede smaak.

De eilandenketen Indonesië, gelegen in de Zuid-Chinese Zee en de Grote Oceaan, strekt zich uit van Maleisië tot Papoea Nieuw-Guinea. De belangrijkste theeplantages bevinden zich op de grootste eilanden, Java en Sumatra. In het begin van de zeventiende eeuw bedreven de Nederlanders hun handel in Chinese koopwaar, waaronder thee, vanaf Java en het was de V.O.C. die in het begin van de achttiende eeuw de eerste theeplantages op het eiland vestigde. Aanvankelijk gebruikten de Nederlandse kolonisten zaad uit China, maar omdat dit niet goed gedijde gingen ze over op Assamstruiken uit India.

Theeplukkers op Java.

Het gewas werd later ook op Sumatra geïntroduceerd en sinds kort wordt er ook op Sulawesi thee verbouwd. Tot de Tweede Wereldoorlog beheersten de Indonesische zwarte theeën samen met die uit India en Ceylon de Europese markt.

De oorlog bracht de industrie echter ernstige schade toe en de theeproductie bleef op een laag pitje tot er in 1984 een herstelprogramma werd gestart. De oprichting van de Tea Board of Indonesia heeft geholpen bij de herstructurering van de industrie, het opknappen van fabrieken, het herstel van plantages met superieure, gekloonde theeplanten, de verbetering van de faciliteiten en een toename van de productie.

In het verleden werd er alleen orthodoxe zwarte thee verbouwd, maar door de groeiende vraag naar theezakjes zijn veel planters overgegaan op de CTC-methode. Er zijn nu zestien fabrieken die per jaar meer dan 16.534,7 ton thee produceren, waarvan het grootste deel geëxporteerd wordt. De productie van groene thee begon in 1988 en zal naar verwachting de komende jaren toenemen vanwege het groeiende besef van de positieve invloed van groene thee op de gezondheid en een grotere internationale belangstelling. Momenteel wordt de meeste groene thee vermengd met jasmijnbloemen en verder verwerkt als jasmijnthee, met name voor de binnenlandse markt. Het wordt meestal in pakken of flessen verkocht als frisdrank.

Op Java wordt ca. 13.695 ha thee verbouwd en op Sumatra en de andere eilanden nog eens 59.660 ha. Door het droge, zachte weer kan er het hele jaar door geplukt worden, maar de beste thee wordt geplukt in juli, augustus en september. Ongeveer 60 procent van de productie is groen en 40 procent zwart. De meeste zwarte thee wordt voor de export verkocht op de wekelijkse veilingen in Jakarta. Van oudsher zijn de grootste afnemers Nederland, Groot-Brittannië, de VS, Pakistan, Singapore en Japan en sinds kort drinken ook de voormalige Sovjet-Unie en Polen Indonesische thee. De laatste acht tot tien jaar is de export gestaag gestegen van slechts 93.696,4 ton in 1984 naar 132.277,2 ton in 1992 – naar schatting zo'n 12 procent van de gehele wereldexport.

Indonesische theeën zijn licht en goed van smaak. De meeste worden gebruikt in melanges, los of in theezakjes, maar enkele tuinen nu ook onvermengde thee verkopen.

Gunung Rosa

Kenmerken

Grove thee met een uitstekend helder, licht, wat zoet aftreksel dat lijkt op sommige highgrown Ceylons.

Bereiding

1 Tl voor 150 ml water van 95 °C. 3-4 Minuten laten trekken.

Drinkadvies

Met of zonder melk, eventueel met citroen. Heerlijke middagthee.

Taloon

Kenmerken

Mooie Javaanse bladthee met veel gouden puntjes. Smakelijk, aromatisch aftreksel.

Bereiding

1 Tl voor 150 ml water van 95 °C. 3-4 Minuten laten trekken.

Drinkadvies

Bij een uitgebreide 'afternoon tea'.

Bah Butong

Kenmerken

Een gebroken thee uit Sumatra. Sterk, vol aftreksel met een intense kleur.

Bereiding

1 Tl voor 150 ml water van 95 °C. 3-4 Minuten laten trekken.

Drinkadvies

Een ontbijtthee. Drinken met melk.

JAPAN

Zachte wallen groene theestruiken golven door het landschap.

VOLGENS DE JAPANSE GESCHIEDENIS werden de eerste theezaden in 805 meegebracht uit China en geplant door de boeddhistische monnik Dengyo Daishi. Men vermoedt dat een deel van dit zaad naar de abt van Togano-o in Yamashiro werd gestuurd en dat een aantal planten werd overgeplant naar Uji, waar de bodem uitzonderlijk goed is. Thee uit Uji wordt nog steeds beschouwd als de beste van het land. Omstreeks dezelfde tijd werden er ook vijf grote plantages opgericht in Asahi, Kyogoku, Kamabayashi, Yamana en Umoji, die allemaal nog steeds bestaan.

Mechanische pluk op een Japanse theeplantage.

Japanse theetuinen zien er heel anders uit dan plantages in andere delen van de wereld. De struiken worden niet los van elkaar, maar dicht op elkaar in lange rijen geplant en geven zo de indruk van groene golven in het landschap. De bovenkant van deze lange wallen is afgerond. Van deze afgeronde theestruikenwallen kunnen de plukkers de knoppen en blaadjes gemakkelijk plukken.

Na de Tweede Wereldoorlog werd de theecultuur uitgebreid en en de voornaamste productiegebieden zijn nu de prefecturen Shizuoka, Kagoshima, Mie, Nara, Kyoto (rond Uji), Saga, Fukuoka en Saitama. Nishio in Aichi is beroemd om zijn poederthee.

Het klimaat is warm, met volop regen en de plantages liggen meestal op heuvels en in de buurt van rivieren, stroompjes en meren, waar de warmte zich vermengt met dichte mist en zware dauw.

Ongeveer 600.000 boerengezinnen produceren in Japan jaarlijks zo'n 110.231 ton thee op ongeveer 60.000 ha grond. De oogst begint eind april. Nadat de bladeren met de hand of met elektrische scharen geplukt zijn, worden ze naar fabrieken gebracht waar ze verschillende bewerkingsprocessen doormaken, afhankelijk van het soort thee. Alle Japanse theeën zijn groen.

GROENE-THEEVARIËTEITEN

Gyokuro is de allerbeste Japanse thee. Voor een goede Gyokuro moeten de struiken vanaf begin mei ongeveer 20 dagen lang 90 procent schaduw krijgen. Zodra de nieuwe knoppen ontstaan wordt het deel van de plantage waar Gyokuro wordt verbouwd, bedekt met matten van bamboe, riet of kanvas. Omdat ze minder licht krijgen, ontwikkelen de blaadjes een hoger chlorofyl-gehalte (waardoor de bladeren donkerder groen worden) en een lager looizuurgehalte (waardoor de thee zoeter en milder wordt). Bij de oogst worden alleen de zachtste, verste bladeren voorzichtig met de hand of elektrische scharen geplukt. Dan worden de bladeren snel naar de fabriek gebracht, waar ze ca. 30 seconden worden gestoomd om de smaak te behouden en fermentatie tegen te gaan. Vervolgens worden ze zacht gemaakt met hete lucht en dan geperst en gedroogd tot er nog slechts 30 procent van hun oorspronkelijke watergehalte over is. De blaadjes vormen fijne donkergroene naalden door herhaaldelijk rollen.

Voor de productie van Tencha, een fijngehakte thee die eventueel vermalen kan worden tot Matcha (poederthee), wordt de thee ook bij 90 procent schaduw verbouwd. De bladeren zijn groter dan die voor Gyokuro; ze worden wel op dezelfde manier gestoomd en zacht gemaakt. Ze worden zonder rollen gedroogd, zodat ze hun vorm behouden, en in kleine stukjes gesneden. Omdat groene poederthee slechts kort houdbaar is (in de winter vier en in de zomer twee weken), worden de bladeren bewaard als Tencha, die goed houdbaar is, tot er poederthee –Matcha– nodig is. Matcha is de thee die bij de traditionele Japanse theeceremonie wordt gedronken. Fijngehakte Tencha wordt in een stenen molen tot een poeder vermalen. Zowel Gyokuro als Tencha worden slechts een maal per jaar geoogst, omdat de schaduw de struiken van hun energie berooft en ze tijd nodig hebben om te herstellen.

Sencha is Japans populairste thee voor dagelijks gebruik. Er worden verschillende kwaliteiten geproduceerd, waarvan de beste alleen bij speciale gelegenheden wordt gebruikt en iets mindere kwaliteit dagelijks thuis en op het werk gedronken wordt. De struiken worden in het volle zonlicht verbouwd en de

De theestruiken worden beschaduwd, zodat de bladeren een goede smaak ontwikkelen.

eerste oogst wordt geplukt van eind april tot half mei. Er wordt voornamelijk geplukt met elektrische oogstscharen of plukmachines, maar de beste Sencha wordt met de hand geplukt. Op sommige plaatsen worden de bladeren elke 45 dagen geplukt en de eerste en tweede pluk geven de beste thee. De eerste oogst geeft een zachte, milde smaak, terwijl de tweede een sterkere smaak heeft en meer looizuur en cafeïne bevat vanwege het sterke zonlicht waarin de bladeren groeien. De bladeren worden ongeveer net zo bewerkt als Gyokuro en Tencha. Eerst worden ze gestoomd, dan zacht gemaakt met hete lucht, gedroogd en tot slot tot fijne naalden gerold.

Bancha is de laagste klasse Senchathee. De grotere, grovere, vezelachtigere bladeren worden geplukt nadat de jongere, malsere blaadjes voor Sencha zijn geplukt. Tijdens de rest van de zomermaanden wordt er ook Bancha geplukt. De bewerking is hetzelfde als bij Sencha, maar er worden naast bladeren ook steeltjes gebruikt. Geroosterde Bancha wordt Houjicha genoemd. Het roosteren gebeurt na het gebruikelijke stomen, zacht maken, drogen en rollen, waarna de bladeren een wigvorm krijgen. Genmaicha is een mengsel van Bancha en gepofte rijst die gekookt en gedroogd is.

Er worden in Japan ook twee andere, ongewonere groene theeën gemaakt. Kanmairicha-Tamayokucha wordt gemaakt volgens een oude Chinese methode. De blaadjes worden in een pan geroosterd om oxidatie te voorkomen, waarna ze gedroogd en met de hand tot kleine bolletjes gerold worden. Mecha wordt gemaakt van jonge blaadjes die geselecteerd worden tijdens het bewerkingsproces van Gyokuro en Sencha en daarna tot bolletjes ter grootte van een speldenknop gerold worden; ze geven na bereiding een sterk aftreksel.

Gyokuro (Dierbare dauw)

De allerbeste Japanse thee wordt altijd aan gasten geserveerd. De watertemperatuur en de trektijd zijn afhankelijk van de kwaliteit.

Kenmerken

De mooie, platte, puntige, smaragdgroene naaldjes geven een zachte smaak en een subtiele geur. Een zeer verfijnde en bijzondere thee.

Bereiding

Gebruik voor drie personen 4 gram thee op 80 ml gekookt water van 50-60 °C. Laat dit 1½-2 minuten trekken. Voeg voor verdere aftreksels extra water toe.

Drinkadvies

Drinken na de maaltijd bij zeer speciale gelegenheden, of als versterkende, reinigende, verfrissende drank op elke tijd van de dag.

Matcha Uji (Schuim van vloeibare jade)

Door het poeder met heet water te kloppen lost de thee snel op en ontstaat er schuim, dat de smaak verbetert.

Kenmerken

Matcha van goede kwaliteit. Geproduceerd in de streek Uji. Poederthee van bladeren die bij 90 procent schaduw zijn verbouwd. Rijke, bittere, lichtgroene drank.

Bereiding

Schep ruim ½ tl in een diepe kom, schenk er 40 ml gekookt water van 85 °C op en klop 30 seconden met een bamboe kloppertje.

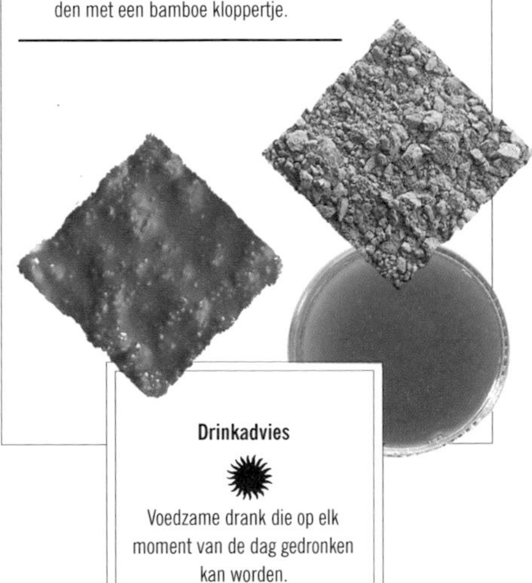

Drinkadvies

Voedzame drank die op elk moment van de dag gedronken kan worden.

Sencha

Veel verschillende prijs- en kwaliteitsklassen. Deze Sencha van gemiddelde kwaliteit is bedoeld voor dagelijks gebruik en wordt in veel huizen en kantoren gedronken.

Kenmerken

Grove Sencha voor dagelijks gebruik. Helder, sprankelend aftreksel met de karakteristieke verfijnde Japanse smaak. Rijk aan vitamine C.

Bereiding

Roer voor vijf personen 4 tl in 300 ml gekookt water van 90 °C. 1-1½ Min. laten trekken. Verwarm de kopjes of kommetjes voor met kokend water.

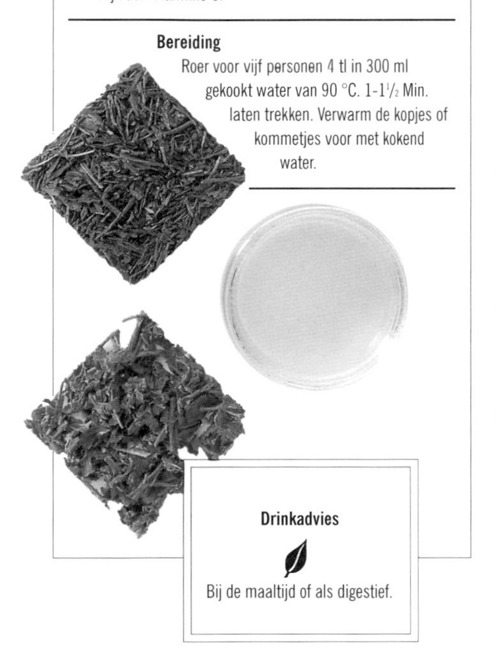

Drinkadvies

Bij de maaltijd of als digestief.

Bancha

Bancha betekent 'late oogst'. Gemaakt van grote, harde bladeren, inclusief stengels en rode steeltjes. Omdat de smaak niet zo sterk is, is hij geschikt voor kinderen en zieken.

Kenmerken

Grove bladthee met weinig cafeïne en looizuur. Vrij slap en weinig interessant aftreksel.

Bereiding

Voor vijf personen: 6 tl thee op 400 ml water van 95-100 °C. 30 Seconden laten trekken.

Drinkadvies

Bij de maaltijd, of als koud, verfrissend zomerdrankje.

Ook aanbevolen

Sencha Honyama, Sencha Sayama en Sencha Yame.

Houjicha

Werd in 1920 uitgevonden door een koopman uit Hyoto, die niet wist wat hij moest met zijn voorraad oude bladeren. Hij besloot ze te roosteren en creëerde zo een thee met een nieuwe smaak.

Kenmerken

Lichtbruine, geroosterde blaadjes. Lichtbruin aftreksel. Zeer mild voor de maag.

Bereiding

Voor vijf personen: 6 tl op 400 ml water van 95-100 °C.
30 Seconden laten trekken.

Drinkadvies

Bij de maaltijd of als rustgevende drank voor het slapengaan.

Genmaicha

Bancha met gepelde rijstkorrels en gepofte maïs.

Kenmerken

Gemiddelde kwaliteit. Lichtbruin, verfrissend aftreksel en een wat hartige smaak.

Bereiding

1¾ Tl voor 150 ml water van 95 °C. 1 Minuut laten trekken

Drinkadvies

Voor elk moment van de dag. Vooral lekker bij lichte maaltijden.

Andere aanbevolen Japanse theeën

Fuji Yama, Kukicha, Ureshinocha en Kawanecha.

TAIWAN

Hier wordt Tung Ting, de beste Formosathee, verbouwd.

DE EERSTE THEESTRUIKEN WERDEN 300 JAAR GELEDEN op Formosa (zoals Taiwan toen nog heette) geplant. Er kwamen uit de Chinese provincie Fujian en werden in het noorden van het Taiwan geplant. Tegenwoordig komt de meeste thee uit dit gebied rond Taipei. De plantages liggen allemaal lager dan 330 m, waar de temperaturen nooit lager dan 13 °C of hoger dan 28 °C zijn. De struiken krijgen vijf keer per jaar, van april tot december, nieuwe loten en de beste bladeren worden geplukt van eind mei tot half augustus. Bijna alle Formosatheeën zijn oolongs. Verder worden er ook enkele lichtgefermenteerde pouchongs geproduceerd. De meeste van deze pouchongs worden gebruikt als basis voor jasmijn- en andere gearomatiseerde thee. In het verleden was Japan de grootste afnemer, maar de laatste jaren importeren Marokko en de VS steeds meer.

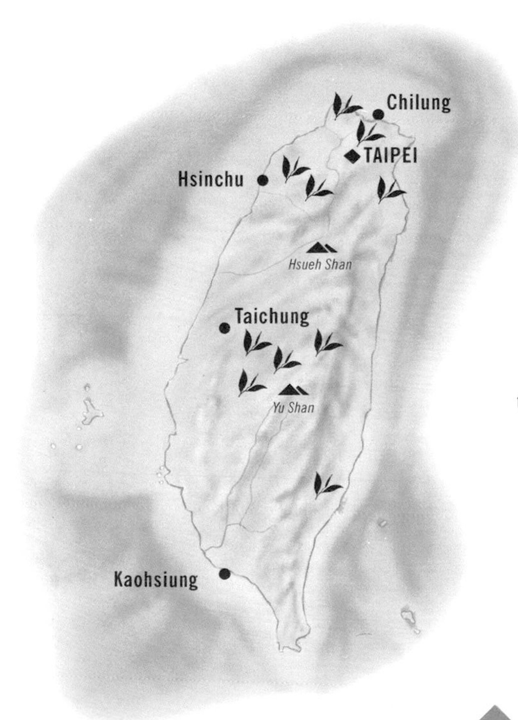

Formosa Gunpowder

Kenmerken

Kleine korreltjes die een verrukkelijk helder, verfrissend aftreksel geven.

Bereiding

2 Tl voor 150 ml water van 95 °C. 3 Minuten laten trekken.

Drinkadvies

Heerlijk puur of met munt. Een lekkere middagthee.

Formosa Grand Pouchong

Kenmerken

Zeer lichtgefermenteerde, bijna groene thee. Een concurrent van Taiwans beroemde Tung Ting. Licht goudgeel aftreksel met verfijnd aroma.

Bereiding

1 Tl voor 150 ml water van 95 °C.
4-5 Minuten laten trekken.

Drinkadvies

Op elk moment van de dag of als verzachtende avondthee.

nuttige en interessante theeën kunnen gaan produceren.

Aanbevolen tuin
Teza-Ijenda.

Theepluk in Burundi.

ETHIOPIË

Ethiopië heeft twee theefabrieken in het zuiden van het land, op een plateau bij de grens met Kenya. Er groeit ongeveer 2000 ha thee op heuvels boven de 1800 meter. De theeën lijken op die uit Kenya. De theeindustrie zal er waarschijnlijk in weten te slagen de kwaliteit en productie te verhogen nu het land politiek vrij stabiel is.

Op de Gumaro-theeplantage verbouwt 860 hectare thee.

MADAGASCAR

De gekloonde theeën van dit eiland groeien op ongeveer 1700 m en de zwarte blaadjes geven heldere, kleurige, fraaie thee die vergelijkbaar is met de beste Oost-Afrikaanse thee. De productie is seizoengebonden; van mei tot september is het droog en wordt er zeer weinig thee geproduceerd.

Aanbevolen tuin
Sahambavy.

MAURITIUS

De drank thee werd in 1770 door de Fransman Pierre Poivre in Mauritius geïntroduceerd. Tegenwoordig produceert het eiland een aantal redelijke theeën die kracht en kleur hebben, maar niet bijzonder goed van kwaliteit zijn. Het land stapt nu over op de productie van suiker en tectiel vanwege een wereldwijde daling van de theeprijzen. De theeproductie zal tegen het jaar 2001 waarschijnlijk geheel stopgezet zijn.

MOZAMBIQUE

De Portugezen plantten thee in de provincie Zambesi in Mozambique, maar de laatste jaren is de productie gedaald door de politieke onrust in de jaren '70. De sterke, zwarte thee heeft een wat kruidige smaak en is lekker als ontbijtthee met melk.

RWANDA

De theeindustrie in Rwanda is in de jaren '50 begonnen met financiële steun van de Belgische regering en de EG. Dankzij de vruchtbare bodem, gunstige regenval en een zeer geschikt klimaat gedijde de thee goed en slaagde men erin een constante kwaliteit te produceren op het niveau van de beste Afrikaanse CTC-thee. De politieke problemen sinds 1990 betekenden echter een ernstige verstoring van de productie.

De grootste fabriek in Mulindi werd bezet door Tutsies en in 1994 staakten alle fabrieken de productie. Tijdens de burgeroorlog leek het onwaarschijnlijk dat onderdelen van de industrie binnen afzienbare tijd weer zouden kunnen functioneren, maar in september 1994 hervatte de Cyohoha Rukeriplantage na een grondige snoeibeurt van de verwaarloosde struiken de productie en in februari 1995 draaide de fabriek weer als vanouds. In 1995 werd er meer dan 2.204,6 ton thee geproduceerd en de kwaliteit is weer op hetzelfde niveau als voor de oorlog. Als de fabrieken worden opgeknapt en de plantages hersteld, zullen de kwaliteit en kwantiteit waarschijnlijk weer snel hun oude peil bereiken.

Aanbevolen tuinen

Kitabi en Matah.

UGANDA

De theeproductie in Uganda begon in 1909, maar er was weinig commerciële ontwikkeling tot het eind van de jaren '20, toen er particuliere plantages werden gevestigd door veteranen uit de Eerste Wereldoorlog. Vanaf de jaren '50 vond er een snelle productiegroei plaats op plantages die bijna allemaal in handen van blanke planters waren. Tot 1972 werden zowel de commerciële particuliere plantages als kleine akkers uitgebreid, zodat Uganda 19.084 ha thee bezat en thee het belangrijkste exportproduct van het land werd.

De politieke instabiliteit van de jaren '70 en '80 bracht de industrie echter ernstige schade toe en de export van thee daalde van 26.455,5 ton in 1972 naar 1102,3 ton in 1980. Plantages werden verwoest of verlaten, fabrieken functioneerden op halve kracht of werden gesloten vanwege een tekort aan elektriciteit, reserveonderdelen of arbeidskrachten, of alledrie. Sinds 1989 is de politieke stabiliteit teruggekeerd, waarna de plantages en fabrieken zijn hersteld en de productie gestaag is gestegen: van 5,1 ton thee in 1989 naar 16,3 ton in 1994.

Er zijn echter nog steeds problemen die de theeproductie in Uganda nadelig beïnvloeden. De wisselkoersen hebben Uganda's industrie geen goed gedaan, transportkosten zijn hoog, er is een gebrek aan geschoolde en ongeschoolde arbeidskrachten, de energievoorraden zijn onvoorspelbaar en onbetrouwbaar, de fabrieken zijn oud en aan vernieuwing toe en er is al sinds 1988 geen subsidie voor onderzoek geweest.

Mechanisch geoogste theestruiken in Uganda.

De prijzen voor thee uit Uganda op de veilingen in Mombasa en Londen zijn de laatste jaren vrij laag, omdat de kwaliteit niet constant genoeg is. Maar door uitbreiding en verbetering van de productie stijgen de prijzen langzaam en men hoopt dat de productie in 1998 weer het niveau van 1972 zal bereiken en in 2000 twee keer zoveel zal zijn.

Aanbevolen tuin

Mityana.

ZIMBABWE

In Zimbabwe zijn twee grote theeproducerende gebieden, Chipinge en de Hondevallei. De theeën zijn vergelijkbaar met die uit Malawi en geven een sterk, donker aftreksel. De meeste gaan naar Groot-Brittannië, waar ze voor theezakjes worden verwerkt. Er wordt nu ook gestekte thee verbouwd. Lekker met melk.

Aanbevolen tuin

Southbown.

EUROPA

DE AZOREN

Op het eiland San Miguel, dat ontstaan is door een vulkaanuitbarsting, wordt thee verbouwd. Na 1820 werd er vanuit Brazilië thee naar het eiland gebracht en in de eerste helft van de twintigste eeuw groeide er zo'n 300 ha thee. In 1966 was dit echter afgenomen tot ongeveer 154 ha en door een gebrek aan technische kennis was de thee van erg slechte kwaliteit.

In 1984 riep de regering van de Azoren de hulp in van een theedeskundige uit Mozambique, waarna er een project is gestart om de oude plantages te herstellen, nieuwe planten te introduceren, snoeien en plukken te mechaniseren en de kwaliteit te verbeteren. Het is een zeer kleinschalige onderneming en de meeste thee wordt verkocht aan de toeristen die het eiland bezoeken. In 1995 gaf de overheid subsidie voor de verbouw en productie van thee en men hoopt zowel de kwaliteit als de productie te kunnen verbeteren om zo de plaatselijke markt te bevoorraden en te exporteren naar bijvoorbeeld de VS.

AZIË

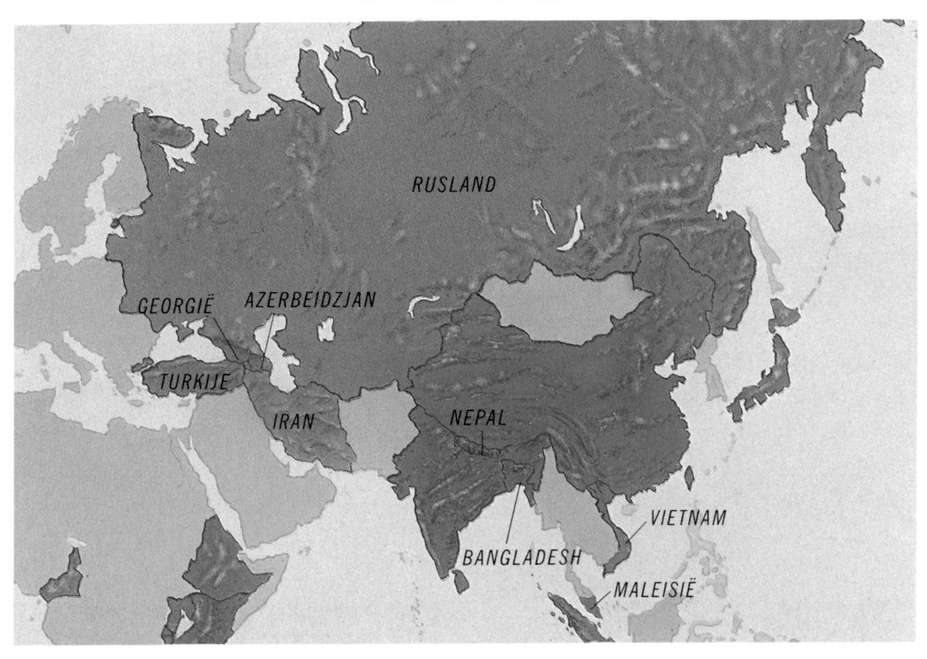

BANGLADESH

Nadat de Britten na 1830 in Assam met de productie van thee waren begonnen, breidde de verbouw zich snel uit naar Sylhet en enkele andere streken. Na de afscheiding van India in 1947 en de latere afscheiding van Pakistan –toen Oost-Pakistan omgedoopt werd tot Bangladesh– bleven de theeproducerenden gebieden van Sylhet en Chittagong zeer belangrijk.

De oogst vindt plaats van april tot december en de beste thee wordt geplukt in mei en juni. Naast een kleine hoeveelheid groene thee wordt er voornamelijk zwarte thee geproduceerd, waarvan een deel als bladthee wordt verpakt en de stofthee, gruisthee en kleinere gebroken klassen voor melanges worden gebruikt. De jaarlijkse productie ligt rond de 56.218 ton, waarvan ongeveer 36.376 ton wordt geëxporteerd. De voornaamste buitenlandse afnemers zijn Pakistan en Polen en er gaan kleinere hoeveelheden naar België, Groot-Brittannië, Duitsland, Rusland, voormalige Sovjetlanden, Egypte, Iran, Australië, Nieuw-Zeeland, Sudan, China en India. De theeën zijn vergelijkbaar met die uit Zuid-India en geven een goede kleur en geur en smaken licht kruidig. Ze zijn het lekkerst met melk.

Aanbevolen tuin
Chittagong.

VOORMALIGE SOVJET-UNIE

AZERBEIDZJAN

Azerbeidzjans voornaamste productiegebieden zijn Lenkoran, Masallin, Lerik en Astar. De totale productie in 1988 was 38.580 ton maar daalde in 1992 naar 9369 en was in 1995 nog maar 1213 ton. Sindsdien is de productie echter weer toegenomen en zijn er twee bedrijven samen met Turkije en de Verenigde Arabische Emiraten opgericht.

GEORGIË

Tot de burgeroorlog van 1993-1995 waren West-Georgië en de provincie Abkhazia de voornaamste productiegebieden. Sinds 1993 ligt de productie bijna stil.

RUSLAND

De verbouw in Rusland voert terug tot 1833, toen er theezaad werd gezaaid in de Nikity Botanische Tuinen in de Krim. De industrie ontwikkelde zich pas na de Eerste Wereldoorlog en breidde zich na de Tweede Wereldoorlog snel uit. Tegenwoordig is de provincie Kras-

Theeplantage bij Sochi in de Russische provincie Krasnodar.

nodar in het zuidwesten het voornaamste productiegebied.

Voor de ineenstorting van de Sovjetunie werd er in totaal zo'n 1500 hectare thee verbouwd, met een jaarlijkse productie van 3858-4409 ton uit twee fabrieken. Halverwege de jaren '90 kwam de productie bijna geheel stil te liggen.

IRAN

In het noorden van Iran wordt sinds 1900 thee verbouw. De zwarte blaadjes geven een roodachtig, licht, zacht aftreksel. De thee is het lekkerst zonder melk.

Aanbevolen tuin

Elbourz.

MALEISIË

In 1929 legde de zoon van een Britse ambtenaar een plantage in de Cameron Highlands aan, niet ver van Kuala Lumpur. Hij noemde de plantage Boh, naar Bohea, het Chinese district waar de oorsprong van de thee ligt. Aanvankelijk kwamen de arbeiders uit India, maar hoewel een deel van het oorspronkelijke personeel nog steeds op de plantage werkt, komen de nieuwe arbeiders uit Bangladesh.

De Bohplantage produceert 70 procent van de Maleisische thee in een vrijwel perfect klimaat. Het zijn orthodoxe zwarte theeën van redelijke kwaliteit, met vrij lichte, heldere aftreksels die vergelijkbaar zijn met die van Ceylon van gemiddelde kwaliteit.

Aanbevolen tuinen

Boh en Blue Valley.

Enkele theesoorten uit Maleisië.

NEPAL

De Nepalese regering stimuleert de theeverbouw op de hellingen van de Himalaya. De zwarte thee geeft een zacht, subtiel, geurig aftreksel. Vanwege de grote vraag in het binnenland wordt er maar zeer weinig geëxporteerd.

TURKIJE

De plantages, die vanaf 1938 aangelegd zijn, liggen in het oosten bij de Zwarte Zee en leveren 110.231 ton thee per jaar. De fabrieken produceren middelgrove zwarte thee, waarvan het grootste deel in eigen land wordt geconsumeerd en weinig geëxporteerd wordt. De kleine blaadjes geven een donker aftreksel, maar de smaak is zacht en bijna zoet, vergelijkbaar met Russische thee. Het lekkerst met melk.

VIËTNAM

De Fransen legden in 1825 de eerste plantages aan, maar de industrie leed ernstig onder de voortdurende conflicten in dit land. Na de oorlog was thee bij de wederopbouw van het land geen prioriteit, maar wat thee betreft is Vietnam een slapende reus. Er groeit nog steeds veel thee en er wordt nu onderzocht of het haalbaar is de theeindustrie te herstellen. Decentralisatie heeft individuele provincies in staat gesteld rechtstreeks zaken te doen met buitenlandse bedrijven en er zijn vergunningen toegekend aan bedrijven met een goede staat van dienst. Momenteel produceren de plantages zo'n 44.092,4 ton per jaar, waarvan 27.557,8 groene thee is. De zwarte theeën zijn CTC-theeën en gaan voornamelijk naar Duitsland.

HET PACIFISCH GEBIED

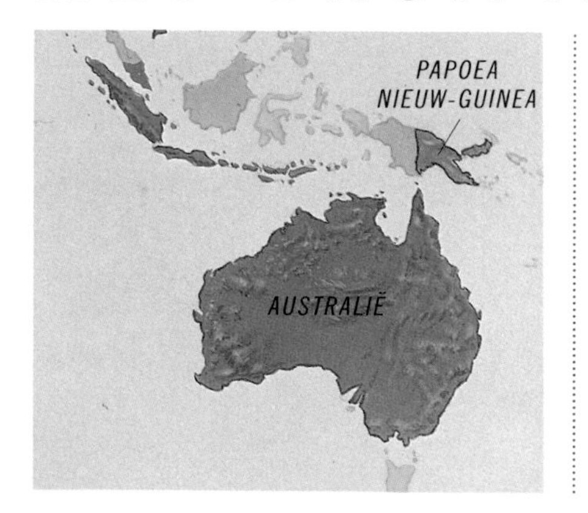

AUSTRALIË

De Australische theeindustrie produceert slechts 1653,5 ton thee per jaar: met name zwarte en een kleine hoeveelheid groene thee. De eerste plantage werd rond 1885 aangelegd in Queensland, maar werd in 1918 verwoest door een cycloon. In 1959 werd de industrie nieuw leven ingeblazen met de aanplant van de Neradaplantage nabij Innisfail en plantages op Mount Bartle Frere in Queensland en in Clothiers Creek in het noorden van New

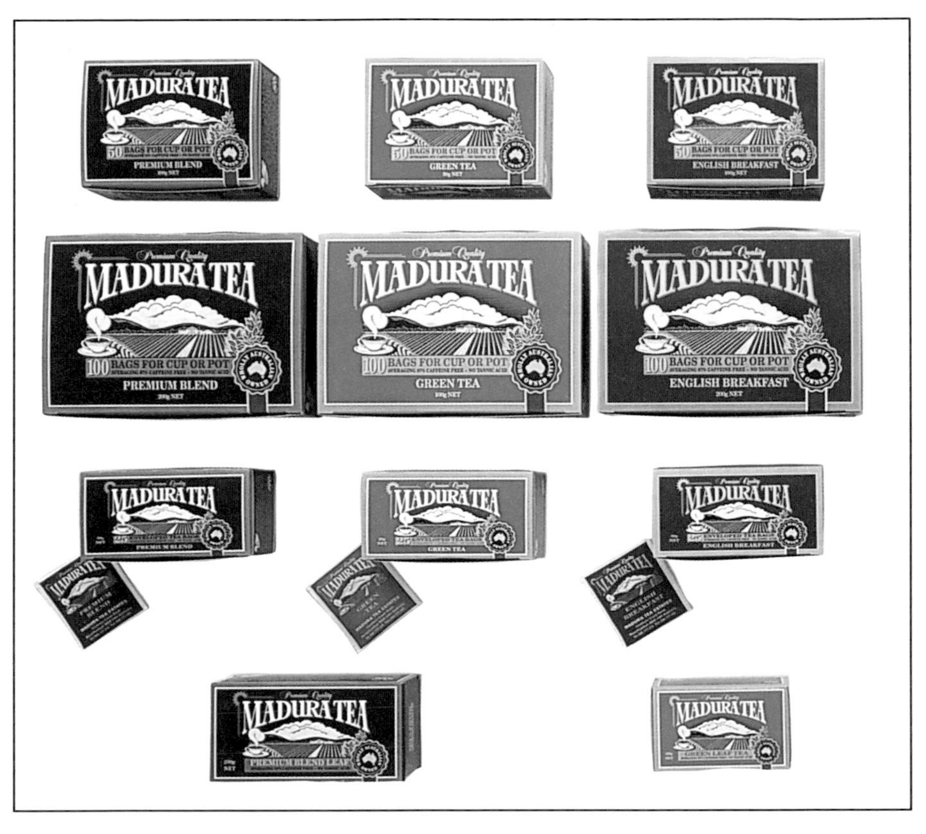

Een selectie theeën van Madura Tea Estates.

South Wales. Men produceert er voornamelijk zwarte CTC-thee voor theezakjesmelanges, bladthee voor pakjes en orthodoxe groene thee die er net zo gedraaid uitziet als de groene thee uit veel Aziatische landen.

Aanbevolen tuinen

Nerada en Madura.

PAPOEA NIEUW-GUINEA

Zowel de bodem als het klimaat zijn uitstekend geschikt voor thee. Bosrijk en bergachtig binnenland met moerassige vlakten in het oosten. Men verbouwt thee in de Westelijke Hooglanden. De meeste zwarte thee wordt geëxporteerd naar Australië.

ADRESSEN

Theesalon Franglaise
Raadhuisstraat 251
Alphen aan de Rijn

Chinees Theedrinken bij
Hong Kong Corner
Damstraat 1
Amsterdam
elke middag van 12 tot 4
uur

Theeschenkerij Herberg de
Stolp
Dijkweg 295
Andijk

Koffie en Theespeciaalzaak
Taal
Smeepoortstraat 5
Harderwijk

Theemuseum, -schenkerij
en -winkel
De Theefabriek
Hoofdstraat 15-17
Houwerzijl

Theeproeverij en -museum
Thieme's Echte Thee
G. Flickstraat 8
Papendrecht
bellen voor afspraak

Theeschenkerij en -winkel
De Gouden Drank
Haven 21/23
Schoonhoven

Museum Douwe Egberts
(koffie en thee)
Vleutensevaart 35
Utrecht

Afternoon Tea of High Tea

Neeltje Pater
Dorpstraat 4
Broek in Waterland

Theesalon Lapsang
Souchong
Oude Molstraat 11a
Den Haag

The Wallstreet Tea Rose
De Wallstraat 12
Deventer
(zondag gesloten)

De Vaeshartelt
Weert 9
Maastricht

Theehuis Dennenoord
Vasserweg 37
Nutter

Kasteel Staverden
Staverdenseweg 283
Staverden

Tea Time
Hotellerie Het Nolderwoud
Ommerweg 59
Zuidwolde

AFTERNOON TEA OF HIGH TEA THUIS OF OP KANTOOR

Tea Traveller
Postbus 182
2240 AD **Wassenaar**
070 - 511 01 79

Mevr. H.A.G. Terpstra
Tuikwerderrak 11
9934 PP **Delfzijl**
0596 - 61 55 70
bellen voor afspraak

WINKELTJES

Treasure Tea
Jan ver der Heijdenstraat 22c
Bleiswijk

Betjeman & Barton
Frederikstraat 3
Den Haag

Limetree & Hamilton
Palacepromenade 63
Den Haag

B&F Koffie, Thee en Kruiden
Markt 68
Gouda
(ook in Woerden en Tilburg)

De Gekroonde Jaagschuit
Breed 38
Hoorn

De Witte Os
Midstraat 97
Joure

Hegu theekruiden reform
Broekhuizenstraat 1
Landgraaf

Zeegers Koffie en Theee
Kerkstraat 7
Vaals

REGISTER

Dankbetuiging

De uitgever zou graag de volgende personen, bedrijven en organisaties bedanken voor hun bijdrage aan deze uitgave:
Dhr. Edward Bramah van het Bramah Tea and Coffee Museum, voor zijn toestemming van het fotograferen van zijn collectie; Bodum (VK) Ltd. voor het lenen van de theeserviezen op blz. 50 (o) en blz. 51; Whittards of Chelsea voor het lenen van het thee-ei met knijphandvat (blz. 52), de theemokken (blz. 53o) en het draaizeefje (blz. 58); Simpson & Vail, Inc. voor de levering van het gazen thee-ei, het neteldoeken theezakje, het gazen theenet, de gazen theelepelklem (blz. 52), het bamboe zeefje en het Engelse theezeefje (blz. 58); Stash Tea voor het leveren van het thee-ei en het Zwitserse gouden theefilter (blz. 52); Su Russell van het College Farm Tea House in Finchley, Londen, die zo vriendelijk was ons toestemming te geven voor het fotograferen van de middagthee in haar zaak (blz. 87).

Alle theeën in de catalogus zijn geleverd door Mariage Frères, Parijs, behalve: Gunung Rosa – Matthew Algie & Company Ltd.; Pouchong, Keemun Mao Feng, Gyokuro – India Tea Importers; Ndu, Djuttitsu Clonal, Tole, Namingomba, Kavuzi, Kilima – Wilson Smithett; Zulu Tea – Taylors in Harrogate; Houjicha, Bancha, Jasmine Pearl – Whittards in Chelsea; Sencha, Genmaicha – Simpson & Vail, Inc.; Assammelange, Darjeelingmelange, Rose Pouchong, Kenyamelange – Twinings.

Fotoverantwoording

blz. 8 Zuid-Afrikaanse Tea Council; blz. 10 The Tea Council Limited (VK); blz. 12, 13 Yozo Tanimoto, Japanese Tea Association; blz. 15 Mansell Collection; blz. 16 (b) Mansell Collection, (o) Twinings; blz. 17, 19 The Tea Council Limited (VK); blz. 20 The Robert Opie Collection; blz. 21 Mansell Collection; blz. 23 Tea House College Farm, Finchley (Londen); blz. 24 Mansell Collection; blz. 26 Carritt Moran & Co. Pvt. Ltd, India; blz. 28 (b) Carritt Moran & Co. Pvt. Ltd, (o) The Tea Council Limited (VK); blz. 29 (b) The Tea Council Limited (VK); (o) Carritt Moran & Co. Pvt. Ltd; blz. 34 The Tea Council Limited (VK); blz. 37 Lonrho Tanzania; blz. 38 The Tea Council Limited (VK); blz. 40 Barber Kingsmark; blz. 41 Bill Edge; blz. 43 The Tea Council Limited (VK); blz. 46 Transfair International; blz. 50 (b) Simpson & Vail, Inc.; blz. 62 Mariage Frères; blz. 64 Mike Adams; blz. 73 Zuid-Afrikaanse Tea Council; blz. 75 (o) Simpson & Vail, Inc.; blz. 80 Twinings; blz. 84 Duitse Tea Council; blz. 89 Japan Tea Exporters' Association; blz. 90 Dr. Maureen Huggins; blz. 91 Life File; blz. 93 Tony Stone Images; blz. 95 Columbus Communications; blz. 105 The Cameroon Development Corporation; blz. 108 The Tea Board of Kenya; blz. 111 Tea Research Foundation (Central Africa); blz. 114, 115 Zuid-Afrikaanse Tea Council; blz. 117 Brooke Bond Tanzania Limited; blz. 121 Carritt Moran & Co. Pvt. Ltd.; blz. 122 The Tea Board of India; blz. 123 Mohammed Fareed, Nalani Tea Estate; blz. 128 Tea Research Association in North East India; blz. 128 The Tea Board of India; blz. 133, 134 Carritt Moran & Co. Pvt. Ltd.; blz. 138 Takeshi Isobuchi; blz. 139 Tea Promotion Bureau, Sri Lanka Tea Board, 574/1 Galle Road, Colombo 3; blz. 142 Takeshi Isobuchi; blz. 144 Tea Promotion Bureau, Sri Lanka Tea Board; blz. 147 The Tea Council Limited (VK); blz. 148, 149, 150 Mike Adams; blz. 157 Takeshi Isobuchi; blz. 163 Tony Stone Images; blz. 167, 169 Yozo Tanimoto, Japanese Tea Association; blz. 177 Establecimiento Las Marias SA, Argentinië; blz. 179 (b) Tony Stone Images, (o) Ethiopian Tea Development and Marketing Enterprise; blz. 181 Wilson Smithett & Co.; blz. 184, 185 Life File; blz 187 Madura Tea Estates.